Problèmes d'Amérique latine

Revue trimestrielle

Revue publiée avec le soutien de
l'Institut Choiseul
pour la Politique internationale et la Géoéconomie
avec le concours
du Centre National du Livre (CNL)

Problèmes d'Amérique latine
28, rue Étienne Marcel
75002 Paris
Tél. : 01 53 34 09 93 ; Fax : 01 53 34 09 94
pal@choiseul-editions.com
Site : www.choiseul-editions.com

SOMMAIRE

DOSSIER

ETHNICITÉ

Coordonné par Gilles Bataillon et Julie Devineau

Dossier

ETHNICITÉ

Coordonné par Gilles BATAILLON et Julie DEVINEAU

ETHNICITÉ

Gilles BATAILLON * *et Julie* DEVINEAU **

Indiens et Noirs ont longtemps été perçus comme autant de ferments de barbarie dans les imaginaires politiques latino-américains. Le surgissement de régimes démocratiques à partir des années 1980 est allé de pair avec d'incontestables remises en cause de ces imaginaires hiérarchiques et racistes. La montée en puissance de nouvelles élites indiennes, l'élection à la présidence bolivienne d'un candidat revendiquant son identité ethnique, la mise en place de politiques publiques destinées à favoriser les individus issus d'ethnies jadis cantonnées à des positions subalternes témoignent d'un mouvement d'égalisation des conditions qui touche d'une façon ou d'une autre tout le continent. Ces changements sont aussi le signe d'une valorisation inédite du multiculturalisme ainsi que des identités amérindiennes ou afro-américaines.

Beatriz Urias montre comment, bien avant les actuelles valorisations de l'identité maya, les élites politiques issues de la révolution mexicaine ont utilisé, dès les années 1920, des bribes du passé maya pour composer un nouvel imaginaire politique. Elles ont ainsi eu à cœur de mettre en avant un passé précolombien largement imaginaire et de mobiliser des croyances théosophiques afin de légitimer les transformations sociopolitiques instituées par la révolution. Tout un discours politique radical associé à une réforme agraire menée en liaison avec des ligues agraires subordonnées au gouverneur, est allé de pair avec la mise en place de programmes hygiénistes d'une bureaucratie agraire dévouée au régime révolutionnaire et prompte à en appeler à « revitaliser l'esprit maya ».

* Gilles Bataillon est directeur d'études à l'EHESS et professeur invité au CIDE (Mexico).

** Julie Devineau est docteure en science politique, chargée de cours à Sciences-Po Poitiers.

S'appuyant sur ses observations dans la région de Puno au Pérou (1954), François Bourricaud souligne comment, même dans des situations de domination, les Indiens péruviens ont su jouer d'identité indienne, métisse et *chola* selon les moments de leurs expériences sociales et ce au mieux de leurs intérêts [1].

José Luis Escalona replace la revalorisation contemporaine des identités ethniques au Mexique, en suivant, sur le temps long, l'évolution de la dichotomie « Indien – *ladino* » dans l'imaginaire politique national. En étudiant l'ethnicité comme une variante du nationalisme, il propose que l'identité ethnique n'est pas seulement une question d'identités profondes, mais aussi d'interactions et de confrontations entre des groupes qui remettent en question les visions multiples du « nous » collectif.

Julie Devineau s'intéresse à la politisation des identités ethniques dans les mouvements ruraux depuis les années 1970 dans trois régions mexicaines. L'ethnicité y est invoquée au nom d'une multiplicité d'enjeux, au prisme de cultures politiques spécifiques. Plus généralement, cette situation renvoie à une compétition accrue et plus équitable entre les groupes sociaux autour des ressources politiques et publiques, ce qui demande d'examiner les transformations de l'État et de l'exercice du pouvoir du niveau local au niveau national.

Au travers de l'étude du Mouvement Pachakutik, Julie Massal s'intéresse plus spécifiquement à la dimension électorale du mouvement indigène en Équateur. Analysant les relations ambiguës entre mouvement social et mouvement politico-partisan, elle souligne les facteurs du déclin de Pachakutik à partir de sa participation au pouvoir en 2003. Perdant le bénéfice de la nouveauté, connaissant d'importants problèmes d'organisation, et se heurtant aux structures du régime équatorien, Pachakutik peine à rassembler le « vote ethnique ».

Jean-François Véran discute la thèse du renouvellement de la question démocratique brésilienne par l'ethnicisation des mobilisations sociales et des politiques publiques. La redéfinition des rapports entre « race » et démocratie au Brésil procède moins d'une convergence multiculturaliste globale que d'une logique interne d'inversion des propositions élémentaires de son modèle historique, la « démocratie raciale ». En faisant de l'inversion la clé de lecture des processus à l'œuvre, il met en évidence les invariants qui les structurent pour mieux en questionner l'impact transformateur.

---

1. Les coordinateurs remercient Michel Wievorka pour son autorisation de republier le texte de François Bourricaud, paru initialement dans les *Cahiers internationaux de sociologie*.

LE POUVOIR DES SYMBOLES
LES SYMBOLES DANS LE POUVOIR
THÉOSOPHIE ET « MAYANISME » DANS LE
YUCATÁN (1922-1923) [1]

Beatriz URÍAS HORCASITAS *

Cet essai analyse l'empreinte du spiritualisme philosophique dans les projets politiques de Felipe Carrillo Puerto, notamment dans sa tentative de « revitalisation » de l'esprit ancestral des Mayas. Il a ainsi contribué à l'élaboration d'un scénario politico-archéologique dans le contexte duquel des phénomènes politiques inédits ont pris sens. On pourrait à cet égard citer les changements introduits en matière de propriété foncière ; l'organisation des travailleurs en ligues de résistance ; le déploiement d'une rhétorique politique radicale et la mise en œuvre d'un programme d'hygiène et de santé sexuelle visant à améliorer la qualité de la population. Ces différents éléments témoignaient d'un univers idéologique cohérent – et politiquement fonctionnel –, grâce à la récupération de la pensée et de la symbologie théosophique.

LE PROBLÈME

En juillet 1923, le gouverneur Felipe Carillo Puerto inaugura la route d'accès à Chichén Itzá. Au cours de cette grande cérémonie politique, et face à une foule constituée par les membres des ligues de résistance, il prononça le discours suivant, en langue maya :

« Compagnons, de même que les anciens Mayas ont fait un peuple, vous avez fait une route, une œuvre que l'on dit exceptionnelle [...] Ce jour nous

---

* Beatriz Urías Horcasitas est chercheure à l'IIS (Instituto de Investigaciones Sociales) – UNAM (Universidad Nacional Autónoma de México), Mexico.
1. Cette étude a été publiée à l'origine dans la revue mexicaine *Relaciones*, n° 115, été 2008, vol. 29.

démontre deux choses, qui sont réunies en cet instant : il nous montre les chefs-d'œuvre de nos ancêtres, et il nous montre le chemin parcouru par leurs descendants, avec leur cœur et leur sang. Le cœur des travailleurs ne peut être mauvais, car le sol que vous foulez est jonché de fleurs et regorge de femmes exquises [...] Efforçons-nous toujours à la bonté, à l'excellence, à la beauté [...] C'est ainsi qu'a été faite cette route dans laquelle se trouve le cœur des Indiens mayas, de leurs femmes, de leurs sœurs, de tous, pour qu'adviennent les choses les plus grandioses et les plus belles, celles qui procèdent de l'amour ; s'il n'en était pas ainsi, vous ne vous seriez pas établis dans un lieu qui, spirituellement, constitue une source de progrès. Vous savez tous que pendant de nombreuses années vos gouvernements vous ont trompés. À présent, vous n'avez plus à vous en soucier, puisque vous disposez d'un travail rémunéré et d'argent, et si vous continuez avec autant d'acharnement et de cœur, vous parviendrez à édifier non seulement de petites cités mais aussi les plus grandes et les plus peuplées [2]. »

Le lien que Carrillo Puerto a établi entre l'antique civilisation maya et le régime qu'il dirigeait en appelait à la « spiritualité » et au « cœur » de son auditoire. Par le biais de ce singulier discours politique, et pour bien marquer la rupture avec le régime porfiriste, il s'autoproclama socialiste. Partant de cette posture, il a encouragé la collectivisation de la production et l'abolition de la propriété privée, ainsi que l'organisation et la mobilisation des travailleurs dans le cadre des ligues de résistance, dispositif corporatif subordonné à l'État. Ces mesures ont conduit à l'établissement de nouveaux mécanismes de contrôle sur les secteurs populaires, libérés des conditions d'extrême exploitation imposées au moment de l'essor de l'industrie du sisal.

Si certains des phénomènes que je viens d'énumérer sont repérables dans d'autres régions du pays pendant la période postrévolutionnaire, au début des années 1920, le cas du Yucatán se distingue par l'utilisation des principes et de la symbologie du spiritualisme théosophique dans la sphère du politique. En effet, si dans les cercles libéraux latino-américains de la fin du XIXe siècle, la théosophie a effectivement inspiré des courants idéologiques antipositivistes proches du libéralisme [3], le cas que j'analyserai ici montre que la visée théosophique de la revitalisation de la race et de l'esprit ancestral des Mayas a légitimé et teinté de transcendance un projet jacobin, antilibéral et autoritaire. Mon intention est de montrer que sous le régime de Carrillo Puerto, la théosophie a permis de formuler une forme spécifique d'indigénisme – le mayanisme – qui exaltait l'essence

---

2. « Emotivo discurso del Sr. Carrillo Puerto. Ante las gloriosas reliquias de Chichén-Itzá, y escuchado por cinco mil trabajadores, habló el Sr. Gobernador del Estado, en el idioma de la Raza » dans *Tierra*, Órgano de la Liga Central de Resistencia, época III, n° 13, Mérida, 22 juillet 1923, p. 5.
3. Marta Elena Casaús Arzú et Teresa García Giráldes, *Las redes intelectuales centroamericanas : un siglo de imaginarios nacionales (1820-1920)*, Guatemala, F & G Editores, 2005.

de la race maya, tout en suggérant que seul un « homme supérieur » – c'est-à-dire un dirigeant qui soit tout à la fois un acteur impliqué dans la révolution et le représentant d'une tradition spirituelle ancestrale située aux antipodes du fanatisme religieux – pouvait conduire la société vers la modernité et le progrès. Eduardo Devés Valdés et Ricardo Melgar Bao ont ainsi souligné que la diffusion de la théosophie en Amérique latine avait non seulement suscité la création de réseaux intellectuels mais qu'elle avait aussi « contribué à modeler, chez certains intellectuels et hommes politiques de la région un leadership d'un type particulier, messianique et parfois charismatique » ; ils ont aussi précisé combien « l'histoire du mouvement théosophique mondial a pesé sur la scène politique et sur la configuration de diverses utopies [4] ».

Je laisserai de côté deux thèmes importants qui figurent toutefois dans les recherches les plus récentes traitant de la signification du spiritualisme théosophique en Amérique centrale et au Mexique que je cite dans cet article. Le premier est lié au rôle qu'ont joué les sociétés théosophiques et le spiritisme dans le processus de constitution de divers réseaux intellectuels et politiques. Le second se réfère à la migration et à l'assimilation des différents courants de la pensée ésotérique et spiritualiste en Amérique latine. Je concentrerai mon analyse sur un point qui, tout en étant très spécifique, me semble crucial : l'utilisation politique d'une conception de la race d'inspiration « spiritualiste » qui subordonnait l'ordre social et politique à une dimension de transcendance qui aurait déterminé le destin de l'humanité. J'estime que l'analyse de l'empreinte de la pensée théosophique dans l'idéologie de Felipe Carrillo Puerto ne constitue pas un thème d'étude marginal, ou une curiosité historique, mais qu'il s'agit au contraire d'un élément nous permettant de mieux comprendre le projet nationaliste postrévolutionnaire qui a fait du thème de la race l'un de ses axes fondamentaux [5].

LE MOMENT HISTORIQUE

Dans le Yucatán, les effets de la révolution se sont fait sentir vers 1915, avec l'arrivée du général constitutionnaliste Salvador Alvarado qui a abrogé des mesures très impopulaires telles la servitude pour dettes, et qui a encouragé l'organisation corporative des classes laborieuses afin de briser le pouvoir de l'oligarchie sisalière. En 1916, Alvaro fonda le parti socialiste ouvrier – qui se transforma en Parti socialiste du Yucatán un an plus tard – et il impulsa un projet de « réforme sociale » visant à transformer les valeurs sociales et les manières de travailler de la population. Cette réforme était fondée sur l'éducation rationaliste et

---

4. Eduardo Devés Valdes et Ricardo Melgar Bao, « Redes teosóficas y pensadores (políticos) latinoamericanos 1910-1930 », *Cuadernos Americanos* 78, año XIII, vol. 6, México, Universidad Nacional Autónoma de México, novembre-décembre 1999, p. 140.

5. Beatriz Urias Horcasitas, *Historias secretas del racismo mexicano*, México, Tusquets Editores, 2007.

sur une campagne « moralisatrice » contre l'alcoolisme, la prostitution, la superstition religieuse et l'oppression des femmes [6]. Craignant la puissance du réseau d'organisations populaires promues par Alvarado et l'autonomie acquise par le Parti socialiste du Yucatán, Carraza précipita la chute de son délégué en utilisant à cette fin le parti socialiste dirigé par Bernardino Mena Brito, et les libéraux restèrent au pouvoir pendant une brève période. En 1917, le Parti socialiste fut dirigé par un nouveau, leader, – Felipe Carrillo Puerto – qui, sous le régime d'Alvarado, avait été un dirigeant très efficace dans l'organisation des ligues agricoles régionales, également nommées « ligues de résistance ».

Les recherches les plus récentes dans le domaine de l'histoire régionale signalent que la paysannerie, qui s'impliqua dans la guerre civile sans pour autant voir aboutir sa demande de terre, a joué un rôle fondamental, tant dans le domaine de la définition de la structure du nouvel État national que dans celui de la reconfiguration des groupes hégémoniques régionaux [7]. La révolution fit de ces groupes de nouveaux acteurs politiques, et de nouveaux leaders populaires – parmi lesquels se trouvaient Felipe Carrillo Puerto dans le Yucatán et Thomas Garrido Canabal dans l'État du Tabasco – tentèrent de les organiser pour en faire des piliers du nouvel État. Comme l'a signalé Thomas Benjamin, dans ce contexte, certains gouverneurs menèrent :

« À bien des expériences de réforme sociale [...], ils contrôlèrent la mobilisation politique des masses et, par voie de conséquence, ils élargirent la base sociale du gouvernement. "Les laboratoires de la Révolution" ou ce que l'on considérait comme tel à cet époque étaient de fait des laboratoires du nouvel État puisque surgissait, à point nommé, un État puissant qui intégrait les organisations de masse [8]. »

Avec l'appui du gouvernement fédéral et grâce à la tolérance du Plan d'Agua Prieta (1920) envers le renforcement des pouvoirs régionaux [9], Carillo Puerto fut élu gouverneur en 1922. Il déplaça les groupes hégémoniques de la fin du XIXe siècle, tout en poursuivant le processus de modernisation induit par l'essor commercial du sisal entre 1890 et 1910. Au prix d'une

---

6. Sarah A. Buck, « El control de la natalidad y el día de la madre : política feminista y reaccionaria en México, 1922-1923 », *Signos históricos,* n° 5, Dossier Género y cultura en la historia moderna de México y Argentina, México, Departamento de Filosofía, CSH/UAM/Ixtapalapa, janvier-juin 2001, pp. 9-53.

7. Mark Wasserman, « Introducción » dans *Historia regional de la Revolución mexicana. La provincia entre 1910 y 1929,* Thomas Benjamin et Mark Wasserman, coords., México, Conaculta, 1992, p. 22-23.

8. Thomas Benjamin, « Laboratorios del nuevo Estado, 1920-1929. Reforma social, regional y experimentos en política de masas » dans *Historia regional de la Revolución mexicana. La provincia entre 1910 y 1929,* Thomas Benjamin et Mark Wasserman, coords., México, Conaculta, 1992, p. 109.

9. *Ibid,* p. 111.

exploitation brutale [10], l'industrie sisalière avait induit de profondes transformations sociales : l'augmentation des forces de police, la circulation des capitaux et le renforcement du contrôle administratif exercé par une nouvelle bureaucratie. Cette dernière, dont la présence s'était renforcée au niveau municipal, exerçait un contrôle croissant sur les chefs politiques, tout en surveillant plus étroitement la collecte des impôts et la gestion des dépenses publiques. D'autre part, l'éducation et les services de santé s'améliorèrent avec la construction d'écoles et d'hôpitaux ; des travaux d'infrastructure furent réalisés sur les voies de communication (routes, voies ferrées) alors que s'amplifiait le processus de privatisation des terres communales [11].

Adepte de la même ligne idéologique qu'Alvarado, Carrillo Puerto se proclamait lui aussi anticlérical, socialiste et même « bolchévique [12] ». Il renforça le processus de redistribution des terres et encouragea la collectivisation de la propriété, invitant les travailleurs à prendre le contrôle des moyens de production [13]. Pour construire un véritable « parti de masse », il chercha à étendre l'organisation des ligues de résistance à tous les villages et communautés de l'État, et réactiva à cette fin les réseaux de clientèle des caciques locaux [14]. Selon Gilbert M. Joseph, le succès de Carrillo Puerto en matière de création d'un ample réseau étatique de ligues de résistance « ne résulte pas tant de son charisme, amplement reconnu, avec les masses que de son habileté à travailler avec les réseaux de caciques existants [15] ». En matière de réforme sociale, il impulsa un

---

10. Voir John Kenneth Turner, « Los esclavos de Yucatán » dans *México bárbaro*, México, Colofón S. A., 2001, pp. 7-29.

11. À propos de l'impact de l'industrie sisalière sur la modernisation, voir Arcadio Sabido Mendez, *Los hombres del poder. Monopolios, oligarquía y riqueza en Yucatán : 1880-1990*, Mérida, Universidad Autónoma de Yucatán, 1995 et Luís Alfonso Ramírez, *Secretos de familia. Libaneses y elites empresariales en Yucatán*, México, Conaculta, 1994.

12. Voir Beatriz Urias Horcasitas, « Retórica, ficción y espejismo : tres imágenes de un México bolchevique (1920-1940) » dans *Relaciones. Estudios de Historia y Sociedad*, n° 101, Zamora, El Colegio de Michoacán, hiver 2005, pp. 261-300.

13. Moisés Gonzalez Navarro, *Raza y tierra. La guerra de castas y el henequén*, México, El Colegio de México, Centro de Estudios Históricos, coll. « Nueva Serie 10 », Segunda edición, 1979, pp. 246-250.

14. À propos des alliances que Carrillo Puerto avait nouées avec les caciques traditionnels par le biais de l'organisation des ligues de résistance, Arcadio Sabido Méndez remarque : « Ces alliances s'établirent à partir d'une politique clientéliste qui permit aux caciques d'obtenir un traitement préférentiel dans la gestion des affaires locales, des postes politiques dans le parti, le Congrès local et les mairies. En échange de quoi, les caciques garantissaient loyauté et appui de leur base au dirigeant du parti socialiste. Le parti devint ainsi l'une des organisations régionales les plus importantes du pays, et il comptait entre 70 000 et 80 000 adhérents entre 1922 et 1923. » Arcadio Sabido Mendez, *Los hombres del poder, op. cit.*, p. 106.

15. Gilbert M. Joseph, « El caciquismo y la revolución : Carrillo Puerto en Yucatán » dans *Caudillos y campesinos en la Revolución Mexicana*, éd. David A. Brading, México, Fondo de Cultura Económica, 2005, pp. 269-270.

ambitieux programme qui envisagea même la légalisation du divorce et le renforcement du programme de contrôle des naissances [16]. Il fit d'Eduardo Urzaíz, médecin eugéniste, écrivain et éducateur [17], l'un de ses plus proches collaborateurs dans ce domaine.

Il y a quelques années encore, le régime de Felipe Carrillo Puerto était considéré comme une expérience socialiste battue en brèche par des circonstances adverses [18]. Aujourd'hui, Carrillo Puerto est moins considéré comme un socialiste que comme un réformateur populiste qui réorganisa les groupes issus de la lutte armée par le biais d'un projet de collectivisation économique et d'organisation corporative des travailleurs, projet qui finit par être entravé par le processus de centralisation du pouvoir [19]. Pendant une courte période, Carrillo Puerto établit un régime paternaliste et autoritaire. Il dirigea le gouvernement central tout en continuant à présider le parti et, en tant que gouverneur, il concentra et conserva le pouvoir grâce à la surveillance exercée par une police secrète dirigée par son frère. L'ordre corporatif lui permit par ailleurs de neutraliser les groupes d'opposition, de constituer un vivier de candidats pour les élections et d'établir un contrôle sur les ouvriers et sur les paysans. En somme, plutôt qu'une expérience socialiste, le régime de Carrillo Puerto fut une manière de jacobinisme qui s'inscrivait dans une logique de rééquilibrage des pouvoirs postrévolutionnaires.

Se pose ici la question de la nature du jacobinisme. Dans une étude sur ce thème Ferenc Fehér a établi qu'au moment de la Révolution française, le jacobinisme est apparu comme une tendance politique ultra-radicale

---

16. Sarah A. Buck, « El control de la natalidad y el día de la madre : política feminista y reaccionaria en México, 1922-1923 », *op. cit.*, p. 22.

17. Eduardo Urzaíz (1876-1955), médecin né à Cuba et résident du Yucatán, a joué un rôle important dans la diffusion de l'eugénisme au Mexique. En 1905, il obtint une bourse pour étudier la psychiatrie à l'École normale. En 1915, il organisa le congrès pédagogique dans lequel José de la Luz Mena, Agustín Franco, Vicente Gamboa et Rodolfo Menéndez discutèrent du projet d'établissement d'une éducation laïque et mixte. En 1919, il publia la nouvelle *Eugenia*, d'orientation clairement eugéniste. Sous le régime de Felipe Carrillo Puerto, Eduardo Urzaíz fut recteur de l'université du Sud-Est et directeur de l'École rurale et agricole. Se référer à Carlos Peniche Ponce, Introduction d'*Eugenia*. *Esbozo novelesco de costumbres futuras*, México, Universidad Nacional Autónoma de México, coll. « Relato Licenciado Vidriera », 2006.

18. Francisco José Paoli et Enrique Montalvo, *El socialismo olvidado de Yucatán (elementos para una reinterpretación de la Revolución mexicana)*, México, Siglo XXI Editores, 1977 ; Franco Savarino Roggero, *Pueblos y nacionalismo, del régimen oligárquico a la sociedad de masas en Yucatán, 1894-1925*, México, Instituto Nacional de Estudios Históricos de la Revolución Mexicana, 1997.

19. Gilbert M. Joseph, *Revolución desde afuera. Yucatán, México y los Estados Unidos, 1880-1924*, México, Fondo de Cultura Económica, 1992 et « El caciquismo y la revolución : Carrillo Puerto en Yucatán », *op. cit.* ; Ben Fallaw, *Cárdenas compromised. The Failure of Reform in Postrevolutionary Yucatán*, Durham & London, Duke University Press, 2001.

née dans les « clubs » et autres cercles de penseurs opposés à l'optimisme des Lumières et à la confiance dans l'avancée inéluctable de la Raison. Le jacobin était avant tout un pessimiste : « sceptique, critique, inquisiteur et depuis le début suspicieux, non seulement à l'égard de l'ennemi naturel, mais aussi à l'égard de ses compagnons d'armes [20]. » C'est à partir d'une position de soupçon et de doute que les jacobins évaluaient les événements révolutionnaires ainsi que la nature humaine. Considérant que l'être humain n'était pas nécessairement bienveillant et enclin à faire le bien, ils se représentaient aussi le peuple comme constitué d'êtres vils et aisément corruptibles, en vertu de quoi une minorité radicale – pénétrée de l'orthodoxie révolutionnaire et se réclamant de la souveraineté populaire – se devait de veiller à l'intégrité du mouvement. Ainsi, par le biais d'un nouveau vocabulaire et d'un style novateur, les jacobins s'assignèrent la tâche de transformer l'homme et la société au moyen d'un programme intégral de régénération. L'efficacité de cette stratégie tenait à deux traits spécifiques :

« Le premier trait, qui s'avéra plus solide que tout plan directeur ou processus de conspiration, était la tendance jacobine à opter pour les solutions les plus radicales, autrement dit de prendre des mesures extrêmes, d'être impitoyable envers l'ennemi, de considérer l'extrémisme, et même l'action violente, comme critère suprême du radicalisme, et de suspecter tous ceux qui étaient un tant soit peu enclins à la modération, sans même parler de "mettre un terme à la Révolution". Le second trait fut l'extraordinaire habileté qu'il démontra dans la gestion des masses […], à la moindre amorce de mouvement des masses, les jacobins non seulement décidaient de les suivre (ou pour le dire autrement, ceux qui décidaient en préalable de les suivre devenaient instantanément des jacobins), mais ils les organisaient aussi de manière à influer sur le cours des événements, ce qui leur permit de guider l'action des masses vers les causes qui leur paraissaient les plus appropriées à la Révolution [21]. »

Plutôt que de considérer le jacobinisme d'un point de vue historique, en l'expliquant comme résultante des intérêts d'une classe sociale, Fehér s'est proposé de le comprendre au niveau philosophique. C'est-à-dire comme la manifestation d'un conflit entre deux forces antagonistes qui coexistent dans la démocratie moderne : la tendance à la centralisation du pouvoir et la tendance à la participation citoyenne directe. Ce conflit pourrait expliquer la mutation du radicalisme révolutionnaire vers des formes d'autoritarisme qui, sous couvert de « tyrannie de la liberté » ou de « tyrannie de la morale », justifient l'ajournement ou la suspension des droits démocratiques pour une période déterminée.

---

20. Ferenc Fehér, « Qué es el jacobinismo » dans *La revolución congelada. Ensayo sobre el jacobinismo*, México, Siglo XXI Editores, 1989, pp. 70-71.
21. Ferenc Fehér, « Estructura y función de la dictadura jacobina », *Ibid.*, p. 99.

Partant de cette interprétation, la notion de « révolution congelée » exprime l'idée que le jacobinisme aurait rendu impossible l'établissement d'un « système de gouvernement que l'on pourrait qualifier de république, si l'on comprend ce terme dans son sens premier de création des citoyens libres [22] ». La persécution des ennemis de la révolution et l'imposition de la terreur renvoient à la notion évoquée.

Peut-on repérer un phénomène similaire au Mexique, au cours des années qui suivirent l'insurrection armée ? La révolution n'a pas amené au pouvoir une classe sociale mais une faction hégémonique qui s'est présentée comme dépositaire de la légitimité révolutionnaire, et qui s'est vue confrontée à la tension entre la centralisation du pouvoir et l'exercice de la démocratie directe. Tant au niveau national qu'à celui des laboratoires du Sud-Est, les nouveaux leaders politiques ont cherché à encadrer les masses pour les utiliser comme étai de leur projet de modernisation, imposant un système ne tolérant aucune forme d'opposition. Ils manifestèrent leur penchant pour le collectivisme et leur opposition aux intérêts du grand capital, utilisant les réseaux clientélistes des caciques traditionnels pour recruter des sympathisants. Ils considéraient la transformation de la mentalité du peuple comme une priorité absolue et, pour atteindre ce but, ils prirent une série de mesures en matière d'éducation, de campagnes anticléricales, d'hygiène et de santé. Ces dernières, d'inspiration eugéniste, prétendaient lutter contre la « dégénérescence » de la race et la prolifération des pathologies telles l'alcoolisme, entravant ainsi la liberté des citoyens. Ces différents éléments participaient de l'autoritarisme de Carrillo Puerto.

Le montage politico-archéologique

Lorsqu'il arriva dans le Yucatán, Salvador Alvarado utilisa comme recours idéologique la promotion de la revitalisation de l'esprit de « la race » par le biais d'une forme d'indigénisme régional – le mayanisme – qui occupa une place toujours plus grande, et significative, avec la mise en œuvre d'initiatives concrètes. La première fut l'expérience ratée d'éducation pour les Indiens de « la Cité scolaire des Mayas » décrite par la revue *Oriente* – organe de l'École rationnelle – comme « le rêve prestigieux de cet autodidacte qui n'est autre que le Général Alvarado [23] ». La seconde de ces initiatives consista à financer une architecture officielle de « style maya », dont la conception fut confiée à Manuel Amabilis [24], qui plaidait pour un art nationaliste libéré de l'influence de l'art européen coupable de son « narcissisme méprisant » et du fait d'être « étranger à l'esprit de

22. *Ibid.*, p. 127.
23. « Hacia un alto ideal », *Oriente*. Órgano de la Escuela Racional, Mérida, 3 novembre 1917, vol. 1, p. 22.
24. À propos de Manuel Amabilis, voir Mauricio Tenorio Trillo, *Artilugio de la nación moderna. México en las exposiciones universales, 1880-1930*, México, Fondo de Cultura Económica, 1998, pp. 294-309.

notre race, à notre nature, à nos besoins et coutumes ». Selon ses propres termes :

« L'idéal de l'Art mexicain doit être le Nationalisme, son but doit être d'exprimer toutes les facettes de cet idéal telles qu'elles se révèlent à notre conscience. Il doit se parer de toutes les beautés que recèle notre patrie ; il doit posséder l'ingénuité et la tendresse de l'âme vibrante de notre peuple ; et enfin, il doit tendre vers l'expression de nos arts archaïques et unir tous ces éléments raciaux à notre conception moderne de la vie, en une floraison d'harmonie et d'optimisme afin de les rendre accessibles à notre mentalité occidentale d'aujourd'hui [25]. »

La troisième de ces initiatives est repérable dans le programme de propagande que la révolution constitutionnaliste mena dans l'ensemble du pays. Dans le Yucatán, cette campagne insista sur l'importance d'utiliser la langue maya. L'un des agents de cette opération de propagande, le professeur Santiago Pacheco Cruz raconta avoir reçu du général Alvarado les instructions suivantes :

« Comme vous parlez et comprenez la langue maya, je veux que vous alliez dans l'un des locaux du parti afin de propager parmi les habitants de chaque lieu, village, contrée ou logement, mais principalement parmi les indigènes, les idées et finalités de la révolution, sans oublier de les informer de ses conquêtes et des avantages qu'ils en tireront [26]. »

Selon Ben Fallaw, la revalorisation du maya s'amplifia avec l'arrivée de Carrillo Puerto au pouvoir [27]. Ce dernier fit construire des monuments en l'honneur de « la race » et il déclara que celle-ci s'était transformée physiquement et moralement grâce au régime socialiste qui avait traduit par des mesures concrètes son idéologie anticléricale et mis en œuvre des programmes de santé et d'hygiène visant à éradiquer alcoolisme et maladies vénériennes. L'un de ces monuments fut érigé sur la place centrale de Kanasín, un village proche de Mérida, où il se trouve encore. Il s'agit

---

25. Manuel Amabilis, Sección artística, *Tierra*, Órgano de la Liga Central de Resistencia, época III, n° 22, Mérida, 23 septiembre 1923, p. 27.

26. Santiago Pacheco Cruz, *Recuerdos de la propaganda constitucionalista en Yucatán. Con una semblanza de la vida, actuación y asesinato del gobernador Felipe Carrillo Puerto (Apuntes históricos)*, s/e, Mérida, 1953, p. 117.

27. Ben Fallaw, « Repensando la Resistencia Maya : Cambios en las Relaciones entre los Maestros Federales y las Comunidades Mayas en el Oriente, 1929-1935 », dans *Estrategias identitarias. Educación y la antropología histórica en Yucatán*, Juan A. Castillo Cocom y Quetzil E. Castañeda (editores), Mérida, UPN-OSEA CITE- Secretaría de Educación, Estado de Yucatán, 2004. Voir aussi Jorge Mantilla Gutiérrez, « Política, revolución y poder en Yucatán, las ligas de resistencia, 1917-1923 », Tesis de Maestría en Ciencias Antropológicas, opción Etnohistoria, Mérida, Facultad de Ciencias Antropológicas de la Universidad Autónoma de Yucatán, 2003 ; et « Los mayas en el pensamiento de Felipe Carrillo Puerto » dans *Camino Blanco. Arte y Cultura*, Revista del Instituto de Cultura de Yucatán, año 1, n° 2, Mérida, abril-junio 2002.

d'un monument sur lequel des symboles politiques forts comme ceux des rébellions indigènes de l'époque coloniale et l'épisode de la guerre des Castes [28] apparaissent mêlés avec des signes théosophiques, comme le triangle, la race rouge et l'esprit magnétique :

« Sur la place du pittoresque village de Kanasin, se dresse un monument en pierre très symbolique qui capte l'attention du passant, en raison du ciseau inspiré du jeune artiste Tomáis. Il s'agit du symbole de la race rouge, de la race vernaculaire, de la race maya libérée par l'Instruction et guidée par celle-ci vers des évolutions plus sereines, vers des révolutions plus énormes et plus revendicatrices. À son pied, dans des triangles d'égale dimension, on peut lire les dates des deux mouvements de protestation de la Cisteil, la première datant des temps coloniaux et dirigée par l'indomptable Jaciento Canek, et celle de 1847, menée à l'initiative de Manuel Antonio Ay, à partir du village légendaire de Tepich. Lors de ces deux événements et à l'occasion d'autres révoltes que l'Histoire raconte dans ses anales poussiéreuses, elle a voulu se redresser de sa prostration, de son esclavage et de sa honte, mais elle a dû se soumettre. À présent, sous la protection du drapeau rouge du Socialisme et sous le *labarum* [29] blanc de l'École, elle part à la conquête de son destin, toujours redressée, toujours forte, toujours fière, le visage tourné vers le soleil ! Ainsi, la lignée millénaire et prestigieuse qui a érigé Chichén-Itzá, Milta et Palenque tourne le regard vers les nouveaux codices de la Vérité et de la Justice pour résoudre l'énigme de son destin. Des siècles de domination n'auront pas suffi à éteindre la flamme de son énergie coulée dans du bronze inaltérable [...] Sur ses ruines, le Temps s'est assis pour pleurer des larmes éternelles. Qui sait quelles sibylles ont annoncé de leur voix menaçante et pressante l'avènement des temps nouveaux ? Et un souffle magnétique pénétra les sépultures souterraines et les columbariums en ruine, et il réveilla l'esprit de la race, qui gît dans la poussière des siècles [30]. »

Carrillo Puerto insista par ailleurs sur l'importance de la réappropriation de l'héritage de l'antique civilisation maya, conférant un sens nouveau aux sites archéologiques. Si, sous le régime de Porfirio Diaz, les zones archéologiques avaient été valorisées comme éléments d'un passé préhispanique susceptibles de renforcer le nouveau nationalisme au niveau symbolique – il s'agissait surtout d'encourager les fouilles et la muséographie – il était exclu que la population indigène puisse jouer un rôle significatif dans le développement de la nation moderne. La pratique des régimes

---

28. Ben Fallaw, "Cárdenas and the Caste War That Wasn't: State Power and Indigenismo in Post-Revolutionary Yucatán" dans *The Americas*, vol. 53, n° 4, avril 1997, pp. 551-577.

29. *N.D.T.* : Selon le Petit Robert, il s'agit d'un « étendard romain sur lequel Constantin fit placer la croix et le monogramme de Jésus-Christ avec l'inscription *In hoc signo vinces* (par ce signe tu vaincras) ».

30. « El símbolo de la raza » dans *Tierra*, Órgano de la Liga Central de Resistencia, época III, n° 1, Mérida, 1er mai 1923, p. 27.

À gauche, Chac-
mol, Une de la
revue *Tierra*.

À droite, Jaguar,
Une de la revue
Tierra.

postrévolutionnaires semble s'être étayée sur ce principe. Néanmoins, ils transformèrent radicalement les politiques publiques et les discours relatifs à la population indigène, dans la mesure où il était nécessaire d'intégrer, et d'articuler en tant que force politique, les vastes secteurs de la population – indigène et non indigène – qui avaient rendu possible l'insurrection. Le cas de Carrillo Puerto fut exemplaire à cet égard. Au-delà des déclarations publiques, il prit des mesures très concrètes, consistant par exemple à reconstruire les routes d'accès aux sites archéologiques, poursuivant ainsi divers objectifs liés à la légitimation de son régime. Il s'agissait d'abord de tirer profit des inaugurations pour faire acte de prosélytisme politique. Il fallait ensuite projeter une image positive vers l'extérieur et attirer le touriste étranger. Le troisième enjeu consistait à inciter la population à s'identifier avec ses racines raciales et culturelles : « Je dois vous dire, a déclaré Carrillo Puerto, que nous avons eu l'intention d'amener nos Indiens pour qu'ils communiquent avec ces ruines et pour qu'ils se sentent d'autant plus forts et plus fiers de la race que c'est elle qui les a faites [31]. » Et enfin, il cherchait à utiliser et à établir un contrôle sur les réseaux de caciques locaux pour construire les routes [32].

Il est intéressant de noter que dans les pages de *Tierra*, l'image de Carrillo Puerto vient s'insérer, à diverses reprises, dans le scénario politico-archéologique de Chichén-Itzá. Il y fait figure d'homme providentiel,

---

31. Felipe Carrillo Puerto, « Hay que igualarse a la Raza, destruyendo lo malo, mejorando lo bueno » dans *Tierra*, Órgano de la Liga Central de Resistencia, época III, n° 18, Mérida, 26 août 1923, p. 13.

32. Gilbert M. Joseph a écrit à ce propos : « Les caciques étaient responsables de l'organisation du travail communal, à commencer par la construction de chemins durables menant aux ruines quasi inaccessibles de Chichén-Itzá et d'Uxmal, que Carrillo Puerto se proposa de restaurer en collaboration avec une équipe d'archéologues de l'Institut Carnegie. » Gilbert M. Joseph, « El caciquismo y la revolución : Carrillo Puerto en Yucatán », p. 269.

tout à la fois animé par la spiritualité théosophique et pénétré de l'idéal socialiste :

« À Chichén-Itzá, le Gouverneur Carrillo Puerto, suivi par le peuple, est monté au sommet de l'édifice nommé Le Château, faisant flotter le drapeau national à cette hauteur. Il a ensuite visité tous les édifices qui présentent un intérêt archéologique. Dans l'après-midi, à seize heures, la seconde partie du programme a commencé dans l'édifice nommé Jeu de balle. L'estrade a été installée dans l'édifice des Tigres. Cette partie fut magnifique, poètes et écrivains y ont collaboré, de même que des chorales qui ont entonné des chants composés tout spécialement pour les ruines de Chichén-Itzá. Le numéro le plus réussi fut le discours prononcé par le Gouverneur Carrillo Puerto en langue maya, face aux monuments glorieux de cette race qui a accompli tant de progrès sur le chemin de la civilisation. Plus de cinq mille personnes ont écouté le gouverneur. Il a expliqué la signification morale que revêt pour lui l'œuvre inaugurée, qui est non seulement un remarquable ouvrage matériel, mais qui est aussi synonyme d'avancée vers le retour spirituel du grand peuple yucatanais qui manifeste le respect qu'il éprouve pour les œuvres, toujours existantes, de ses ancêtres, en en facilitant l'accès. [...] Tous, dans le Yucatán, les étrangers autant que les nationaux, rendent hommage au travail réalisé par Carrillo Puerto, ils le préfèrent et le jugent infiniment supérieur à celui qui s'est accompli sous la dictature de don Porfirio, malgré la prospérité économique qui a marqué cette époque [33]. »

Dans la même publication, les ruines archéologiques étaient présentées comme des sanctuaires abritant un esprit supérieur, où le peuple se rendait en « pèlerinage solennel [34] ». Dans ce contexte, les demandes sociales prirent aussi une tournure mystico-religieuse :

« Un cri de rédemption a été entendu à chaque période et il a résonné dans tout l'Univers. Et ce cri suprême a été un appel à l'Égalité, ce cri qui a conduit à l'héroïsme et au sacrifice de grands penseurs et d'humanistes, depuis le Golgotha où le Christ a rendu l'âme, les lèvres ouvertes en signe de béatitude, jusqu'à cette pléiade d'hommes qui offrent leur pensée à la lumière de la Vérité et de la Justice [35]. »

Il faut relever un autre aspect du projet de revitalisation de la race maya – scientiste ou « rationnel » – qui se fondait sur les principes de l'eugénisme. Dans la propagande de la ligue centrale de résistance, la régénération

---

33. « El éxito de la inauguración del camino de Chichén-Itzá » dans *Tierra*, Órgano de la Liga Central de Resistencia, época III, n° 15, Mérida, 5 août 1923, p. 10.
34. « La voz de la raza » dans *Tierra*, Órgano de la Liga Central de Resistencia, época III, n° 1, Mérida, 1er mai 1923, p. 27.
35. « Dictados de la razón » : Edmundo Bolio, « Las condiciones sociales » dans *Tierra*, Órgano de la Liga Central de Resistencia, época III, n° 12, Mérida, 15 juillet 1923, p. 13.

physique, mentale et spirituelle de la race maya était fréquemment associée à l'élimination d'une hérédité négative, et à un prolétariat libéré des mauvais penchants et maladies, et caractérisé par sa force, sa vigueur et son dévouement au travail :

« Si vous voulez forger un être qui puisse se développer pleinement, un homme volontaire, généreux et intrépide, un ouvrier capable de travailler durement et longtemps, faites avant tout un organisme vigoureux, doté d'une bonne résistance et de muscles d'acier. C'est ce qu'affirme un notable français, à la fois hygiéniste et éducateur, et c'est ce que comprennent les hommes d'aujourd'hui qui ne veulent pas avoir à faire à des hordes d'esclaves malingres et, par conséquent, de faible volonté et faciles à dominer mais à des ouvriers sains et énergiques, utiles à leur pays et à eux-mêmes [...] Améliorer la vie de l'individu pour le bien de l'espèce, telle est la vision des gouvernements qui progressent et qui se préoccupent du bien-être social. Les Grecs de l'antiquité nous ont appris à façonner un esprit sain et fort dans les luttes de l'existence, au moyen d'un corps fort et sain [36]. »

Outre son adhésion à « la doctrine rouge » et sa défense véhémente « des parias, des *sudras* et des castes inférieures [37] », *Tierra* a publié des articles sur le rôle de l'héritage dans la formation d'hommes et de femmes « nouveaux [38] ». Le bien-être des enfants, de même que la transformation de la famille prolétaire et paysanne, y apparaissaient liés à l'éducation et à l'intervention directe sur les facteurs héréditaires négatifs puisque « les enfants dont les parents sont fous ou dégénérés ne naissent pas

---

36. « La semana de la salubridad » dans *Tierra*, Órgano de la Liga Central de Resistencia, época III, n° 17, Mérida, 19 août 1923, pp. 33-34 (les majuscules figurent dans le texte original).

37. « Los descamisados : la turba plebeya de todos los tiempos es quien ha traído el reino de la justicia a los pueblos de la tierra » dans *Tierra*, Órgano de la Liga Central de Resistencia, época III, n° 7, Mérida, 10 juin 1923, p. 1.

38. Pendant cette période, la formation d'une « super femme » fut un thème récurrent dans le Yucatán, en raison de la prolifération des Ligues féministes coordonnées par Elvia Carrillo Puerto. Alma Jarko, directrice de la revue *Acción feminista* voyait cette femme nouvelle surgir du peuple : « Outre ces citadines, il y a aussi une immense armée de femmes qui vivent dans les vallées, dans les montagnes, près de la Terre Mère, de leur patrie, ce sont les humbles femmes du peuple, celles qui comprennent le sacrifice et le courage qu'exigent ces luttes, de manière plus farouche. Il y en a parmi les femmes de ce pays, il y en avait en Russie. Ce sont celles qui suivirent leurs hommes sur le champ de batailles pour leur prodiguer les soins d'une épouse, d'une mère, d'une sœur, et qui affrontèrent avec eux les balles mortelles, les encourageant par leur exaltation patriotique, rechargeant les armes de leurs blessés, résolues dans leur silence farouche à mourir ou à vaincre avec eux. » Alma Jarko, « La mujer y la guerra », *Accion feminista, Periódico Mensual para la Mujer*, año I, n° 1, Mérida, 1ᵉʳ janvier 1919, p. 2. Archivo General del Estado de (AGEY) Mérida, Fondo Poder Ejecutivo, Sección Gobernación, caja 691.

Enfant et triangle, Une de la revue *Tierra*.

forcément fous ou avec une dégénérescence quelconque, mais ils sont toujours prédisposés à ces maladies [39] ».

Les propositions eugéniques d'amélioration de la race furent diffusées par le biais de diverses campagnes de santé publique. Il s'agissait tout d'abord de programmes de contrôle des naissances qui cherchaient à « améliorer les conditions de vie du prolétariat » et à ne pas encourager « le relâchement des mœurs et le dévergondage » ou « la stérilisation de la femme, afin qu'elle puisse pratiquer l'amour libre sans conséquence [40] ». On organisait aussi des « Semaines de la salubrité [41] » et les « Concours de l'enfant sain », auxquels l'ensemble de la population était invité à participer avec la promesse de remise de prix aux meilleurs spécimens, laquelle était relayée par le biais d'annonces de ce type : « Un prix sera remis à l'enfant, âgé de huit mois à deux ans, qui réunit les meilleures conditions de santé, de force, de vivacité, d'intelligence, etc. [42] » Enfin, les croisades antivénériennes visaient à améliorer la « santé de la race » et à débarrasser le peuple travailleur des maladies comme la syphilis, inexistante chez les Mayas antiques :

« Les cas de maladies vénériennes étaient très rares chez les Mayas, mais les Mexicains, blancs ou métis, sont tous affectés par la syphilis,

---

39. Prof. Rodolfo Alcocer, Página del maestro : « La disciplina y la herencia » dans *Tierra*, Órgano de la Liga Central de Resistencia, época III, n° 19, Mérida, 2 septembre 1923, p. 12.

40. « Zayas Enriquez y el amor libre » dans *Tierra*, Órgano de la Liga Central de Resistencia, época III, n° 15, Mérida, 15 juillet 1923, p. 19.

41. À la fin de 1923 le programme de la « Semaine de la salubrité » était le suivant : « dimanche 23 : journée de l'éloge de l'hygiène ; lundi 24 : journée des obligations civiques liées à la salubrité, déclaration des naissances, dénonciation des maladies contagieuses et des endroits malsains pour d'autres raisons. Ne pas autoriser à balayer sans mouiller le sol auparavant. Ne pas autoriser à vendre des friandises ou des aliments découverts dans la rue ; mardi 25 : journée de la lutte contre la tuberculose et les maladies vénériennes ; mercredi 26, journée de l'enfant : nouvelles modalités des déclarations de naissances. Conférences de puériculture. Fêtes à l'air libre réservées aux enfants. Concours d'enfants sains ; jeudi 27 : jour de la vaccination ; vendredi 28 : jour de la reconnaissance médicale ; samedi 29 : journée de la propreté : aucun foyer ne sera sale, toutes les rues seront balayées après avoir été arrosées. Destruction des mouches, moustiques, poux, punaises, etc. » Programa de la « Semana de Salubridad » dans *Tierra*, Órgano de la Liga Central de Resistencia, época III, n° 17, Mérida, 19 août 1923, p. 14.

42. « Convocatoria de la Junta Superior de Sanidad para el Concurso de niños sanos a que alude el programa oficial de la "Semana de la Salubridad" en el Estado » dans *Tierra*, Órgano de la Liga Central de Resistencia, época III, n° 22, Mérida, 23 septembre 1923, p. 19.

et ils n'ont pas accès à des soins appropriés pour combattre cette maladie. C'est pourquoi le Gouverneur Carrillo a promulgué une loi qui oblige les hommes qui ont recours aux services d'une prostituée à présenter à cette dernière un certificat de santé [43]. »

Durant la période où il exerçait son mandat de gouverneur, les programmes « d'hygiène et d'amélioration de l'espèce », de pair avec l'idéologie socialiste, la rhétorique relative à la revitalisation de l'esprit maya et le montage politico-archéologique, formèrent un nouveau projet politique qui emprunta à la doctrine théosophique une série d'éléments à la fois conceptuels et symboliques.

Faucille et marteau, Une de la revue *Tierra*.

LE TRIANGLE ET LA PYRAMIDE

Dans le Yucatán, le radicalisme s'appropria certains symboles théosophiques, tels le rayon (l'énergie universelle), le triangle (l'équilibre universel), le disque doré (le soleil comme centre de la vie) et la croix blanche (le sacrifice cosmique). Dans la propagande politique de Carrillo Puerto, ces symboles apparaissent entrelacés avec des pyramides, emblèmes mayas et icônes socialistes. Un même symbole – le triangle, par exemple – pouvait revêtir diverses significations. Symbole théosophique, le triangle rouge était également l'emblème du Parti socialiste du Yucatán et il représentait aussi la famille nouvelle composée du père, de la mère et du fils, tous régénérés par une nouvelle spiritualité, l'eugénisme et le socialisme. Pour Gilbert M. Joseph, la « manipulation et le transfert de symboles » qui caractérisaient cette époque répondaient au besoin de rejeter et de substituer les vieux emblèmes religieux, besoin lié à l'introduction d'une nouvelle liturgie civique. Ainsi, le triangle équilatéral rouge – insigne du Parti socialiste – aurait remplacé la croix, « tout comme les mariages et baptêmes socialistes remplacèrent les cérémonies traditionnelles de ces sacrements [44] ». Plus qu'un substitut du fanatisme religieux, le triangle théosophique introduisait une nouvelle spiritualité qui promouvait et légitimait le dirigeant politique responsable de la nouvelle politique des masses.

Au niveau doctrinal, les théosophes reconnaissaient un principe divin universel qui se trouvait à l'origine du cosmos, tout en étant situé au point

---

43. « Interesantes entrevistas entre la Sra. Anne Kennedy y nuestro "leader" el ciudadano Felipe Carrillo Puerto, acerca del control de los nacimientos » dans *Tierra*, Órgano de la Liga Central de Resistencia, época III, n° 28, Mérida, 4 novembre 1923, p. 23.

44. Gilbert M. Joseph, « El caciquismo y la revolución : Carrillo Puerto en Yucatán », *op. cit.*, p. 269.

où ce dernier finirait par se résorber. Entre ces deux extrêmes, le cycle de la vie était présenté comme étant régi par un mouvement unitaire, ascendant et progressif tendant vers l'évolution et l'harmonie de l'énergie universelle. Ces idées furent initialement systématisées par l'auteur russe Helena Blavatsky – fondatrice de la Société théosophique –, dans les livres *Isis dévoilée* (1877) et *La Doctrine secrète* (1888), œuvre supposément dictée télépathiquement par un maître tibétain. Cette organisation souffrit de scissions et fut l'objet de critiques [45]. Mais, à partir du dernier tiers du XIXᵉ siècle, la doctrine théosophique jouit d'une grande popularité en Europe et ailleurs. Aux côtés du spiritisme, elle compta parmi les mouvements spiritualistes occidentaux qui récupérèrent des éléments de l'orientalisme et de l'ésotérisme pour redéfinir une proposition de reconstruction et d'unité individuelle et sociale. Ces mouvements ont proliféré à partir de la seconde moitié du XIXᵉ siècle « non pas à l'encontre des formes religieuses établies, mais à leur marge [46] ».

Malgré leur origine commune, Serge Hutin énumère les nombreuses différences entre spiritisme et théosophie. Tout d'abord, « alors que le spiritisme se présentait comme une révélation accessible à tout un chacun, la théosophie apparaissait comme un ésotérisme fondé sur les grandes traditions sacrées. De plus, les théosophes disent être issus de traditions de transmission orale directe, et entrer en contact avec des maîtres invisibles par le biais d'exercices secrets de méditation. Dans la théosophie, nombre d'enseignements sont dispensés uniquement aux membres initiés ». Ensuite, « la théosophie condamne de manière explicite l'évocation des esprits, c'est-à-dire le fondement expérimental du spiritisme ». Enfin, les conceptions théosophiques relatives à la composition du corps et de l'âme humaine, de la métaphysique, de la religion, de la vision de l'univers et du divin sont beaucoup plus complexes que celles prévalant dans le spiritisme, ce qui explique que la théosophie s'avère généralement plus attrayante pour les minorités [47].

En Amérique latine la théosophie s'est surtout diffusée dans les cercles libéraux à partir du dernier tiers du XIXᵉ siècle, à l'instar du spiritisme. Selon Marta Casaús, les courants spiritualistes ont été déterminants dans la transformation des sociétés centroaméricaines dans la mesure où « face au positivisme et au matérialisme, elles ont tenté de rencontrer dans l'esprit, dans la vie et dans l'étude des religions comparées des éléments d'identité et

---

45. Voir René Guénon, *El teosofismo. Historia de una pseudoreligión*, Barcelona, éd. Obelisco, 1989.
46. Serge Hutin, « El espiritismo y la sociedad teosófica » dans en *Historia de las religiones. Las religiones constituidas en Occidente y sus contracorrientes* II, vol. 8, sous la direction de Henri-Charles Puech, México, Siglo XXI Editores, 2001, p. 374.
47. *Ibid.*, pp. 388-389.

de régénération de l'individu et des peuples américains [48] ». Eduardo Devés Valdés et Ricardo Melgar Bao considèrent quant à eux qu'il « est impossible de comprendre la constitution d'un univers idéologique et politique qui rassemble radicalisme, socialisme, éléments de nationalisme et de latino-américanisme, sans évoquer ses rapports avec la théosophie et la franc-maçonnerie, et le rôle important qu'ils y ont joué [49] ».

À propos du cas mexicain, Jean-Pierre Bastian a noté que la prolifération d'organisations maçonniques, protestantes et spiritistes dans le dernier tiers du XIXe siècle a inspiré un mouvement rénovateur et anticlérical qui a reproduit un modèle d'association entre individus libres d'un type nouveau [50]. Comme dans d'autres pays latino-américains, les mouvements spiritualistes mexicains ont surtout attiré les libéraux qui sont intervenus, en 1875 notamment, dans la célèbre polémique sur le spiritisme qui s'est tenue au lycée Hidalgo de la ville de Mexico [51]. Dans son étude sur le projet démocratique de Francisco I. Madero, Yolia Tortolero Cervantes montre qu'au cours des dernières années du XIXe siècle, le spiritisme s'était popularisé dans les groupes anticléricaux opposés au positivisme et à la recherche d'une nouvelle éthique engagée dans les causes sociales. Au sein de ces cercles, apparurent les adeptes du mouvement anti-réélectionniste qui « finirent par mettre en relation la communication spirituelle et les principes démocratiques, éthiques, moraux, individualistes, féministes, socialistes ou religieux pour proposer de nouvelles formes d'interprétation

---

48. Marta Elena Casaús Arzú, « La creación de nuevos espacios públicos a principios del siglo XX : la influencia de redes intelectuales teosóficas en la opinión pública centroamericana (1920-1930) » dans *Las redes intelectuales centroamericanas*, *op. cit.*, p. 73.

49. Eduardo Devés Valdés y Ricardo Melgar Bao, « Redes teosóficas y pensadores (políticos) latinoamericanos 1910-1930 », *op. cit.*, p. 152.

50. Jean Pierre Bastian, *Los disidentes. Sociedades protestantes y revolución en México, 1872-1911*, México, Fondo de Cultura Económica y El Colegio de México, 1989.

51. Devés Valdés et Melgar Bao ont repéré des signes avant-coureurs du courant spiritualiste au Mexique depuis le milieu de la décennie antérieure : « En 1866 déjà, dans un village proche de la ville de Mexico, on avait érigé la statue, supposément inspirée par le prophète Elías, de Roque Rojas, considéré comme père du spiritualisme trinitaire mexicain. Les liens avec la tradition théosophique des États-Unis sont par ailleurs attestés, à une date tout aussi précoce, par une autre étude portant sur la région de Véracruz, qui souligne toutefois les différences symboliques et rituelles avec les disciples d'Allan Kardec. Les spiritualistes trinitaires maristes suiveurs de Rojas réélaborèrent la doctrine théosophique de son fondateur et ils ont appelé leur locaux temples de lumière, pour les distinguer de ceux qui sont qualifiés de "clair-obscur", et qui sont spécifiques aux spiritistes suiveurs de Kardec. Une élaboration *sui generis* permit à cette variante théosophique mexicaine de concilier les icônes du culte catholique avec ceux de son passé préhispanique inventé, accompagnés par les esprits de ceux qui, au cours de leur vie, furent considérés comme bienfaisants dans le domaine de la santé, au niveau local. » Eduardo Devés Valdés et Ricardo Melgar Boa, « Redes teosóficas y pensadores (políticos) latinoamericanos 1910-1930 », *op. cit.*, pp. 140-141.

À gauche,
photographie d'un
discours de Felipe
Carrillo Puerto à
Chichén Itzà

À droite, Yucatán et
triangle, Une de la
revue *Tierra*.

de leur environnement et pour tenter de transformer d'une manière ou d'une autre la vie sociale du pays au début du XXᵉ siècle [52] ». Antonio Saborit considère aussi que les cercles spiritistes réunissaient des libéraux parmi lesquels nombre de ceux qui devinrent des opposants à la dictature « se rassemblèrent pour la première fois dans la pénombre, autour d'une table parlante [53] ».

Outre les cercles politiques à tendance libérale, le spiritisme et la théosophie se sont également propagés au Mexique par le biais des milieux littéraires marqués par le modernisme. En opposition au rationalisme, les poètes modernistes influencés par la théosophie défendaient l'unité du vivant et de l'inanimé, de l'esprit et de la matière [54]. Le représentant le plus emblématique du modernisme latino-américain fut Rubén Darío, qui a influencé certains poètes mexicains comme José Juan Tablada, ainsi que les auteurs publiés dans la *Revista moderna de México* et la *Revista Azul* [55].

---

52. Yolia Tortolero Cervantes, *El espiritismo seduce a Francisco I. Madero*, México, Senado de la República, 2004, p. 52. Voir aussi *Un espíritu traduce su creencia en hechos políticos : Francisco I. Madero (1873-1913)*, Tesis doctoral, México, El Colegio de México, 1999. Sur la relation entre les sociétés théosophiques mexicaines et le mouvement anti-rééelectionniste, voir aussi Eduardo Devés Valdés et Ricardo Melgar Bao, *Ibid.*, pp. 147-148.
53. Antonio Saborit, « Prólogo » à *Pedro Castera*, México, Cal y Arena, coll. « Los Imprescindibles », 2004, p. 26.
54. Cathy Login Jrade, *Rubén Darío y la búsqueda romántica de la unidad. El recurso modernista a la tradición esotérica*, México, Fondo de Cultura Económica, 1986, p. 16.
55. Voir José Juan Tablada, *Diario (1900-1944)*, *Obras*, vol. 4, Edición y prólogo de Guillermo Sheridan, México, Centro de Estudios Literarios, Instituto de Investigaciones Filológicas, Universidad Nacional Autónoma de México, 1992 ; et Marius de Zayas, *Cómo, cuándo, por qué el arte moderno llegó a Nueva York*, Estudio introductorio y traducción de Antonio Saborit, México, éd. UNAM-El Equilibrista, 2005.

Dans le Yucatán, l'influence de la théosophie se fit sentir à partir du dernier tiers du XIXe siècle [56] et, après la révolution, l'arrivée d'Alma Reed, propagandiste enthousiaste des courants théosophiques nord-américains, y joua un rôle déterminant. Alma Reed arriva dans le Yucatán en tant que correspondante du *New York Times* et collaboratrice d'une mission archéologique nord-américaine [57]. Elle établit une relation amoureuse avec Carrillo Puerto, qu'elle influença sans doute en matière de théosophie et de prise de position à l'égard des droits des femmes. En raison de l'influence d'Alma, dont les idées et initiatives s'affichaient dans les pages de la revue *Tierra*, ou en raison d'une intellectualité influencée par la théosophie, la pensée et la propagande politique de Carrillo Puerto ont, sans aucun doute, été marquées par ces idées. Dans les articles publiés dans *Tierra*, l'expression « race rouge » a souvent une double connotation. Un premier sens renvoie à la « doctrine rouge » du socialisme. Le second, aux doctrines spiritualistes qui réinventaient le mythe d'une race qui aurait été la première à peupler la planète [58] : « Il suffit à notre gloire que les traditions sacrées de l'Inde, les vénérables traditions brahmaniques, affirment que sur la planète la Civilisation a commencé avec la race rouge en Amérique, il y a cinquante mille ans, quand l'Europe et l'Asie étaient encore enfouies sous les eaux de la mer [59]. »

La « race rouge » était évoquée dans les célébrations politiques qui se tenaient sur les sites archéologiques comme Chichén-Itzá :

« L'Âme de la race rouge magnifiée a palpité, et de tous lieux les pèlerins de l'Idéal sont accourus pour percer son divin secret. [...] Comme on avait célébré les antiques solstices, on a vu le terrain de Jeu

---

56. En 1925, la revue *Teosofía en Yucatán* commémora le 50e anniversaire de la création de la première société philosophique dans la péninsule, ce qui permet de déduire qu'elle avait probablement commencé à exister à la fin des années 1970.

57. Renato González Mello, "Orozco in the United States: an essay on the history of ideas" dans *José Clemente Orozco in the United States, 1927-1934*, Nueva York-Londres, Hood Museum of Art, Darmouth College in association with W. W. Norton & Company, 2002. Du même auteur, voir aussi « Diego Rivera entre la transparencia y el secreto » dans *Hacia otra historia del arte en México. La fabricación del arte nacional a debate (1920-1950)*, Tome III, Ester Acevedo (coordinadora), México, Conaculta-Curare, 2002 ; "Manuel Gamio, Diego Rivera and the politics of Mexican Anthropology", *Res* 45, Harvard University, printemps 2004. pp. 161-185.

58. La théosophie postulait un monde dominé par sept races qui se seraient succédé au cours de sept longs « cycles d'existence ». Partant de cette conception, les théosophes du Yucatán identifièrent l'antique civilisation maya à la « race rouge » qui aurait été la première à établir son empire sur la terre. Si aucune race n'était considérée supérieure à l'autre, les « cycles d'existence » expliquaient la prédominance de l'une ou de l'autre.

59. Ricardo Mimenza Castillo, « El *Popol-Vuh*, su importancia y su trascendencia » dans *Tierra*, Órgano de la Liga Central de Resistencia, época III, n° 13, Mérida, 22 juillet 1923, p. 27.

de balle rempli de croyants et de spectateurs, de croyants en l'avenir
de la race, auparavant tristes et prisonniers de leurs préjugés et de leur
souffrance, et aujourd'hui tournés vers l'avenir dans lequel ils pénètrent
par les solides et robustes portiques de l'École et du Travail. Dans la
tribune des "Tigres" résonna la voix caractéristique de cette race. Et
là, elle dit son espérance et sa fierté. Là, jaillirent son triomphe et sa
gloire [60]. »

En tant que doctrine qui permettait d'intégrer au sein d'une même
cosmogonie universelle l'ensemble des cultes et des religions – présentes
et passées –, la théosophie yucatanaise s'est approprié les enseignements
des livres sacrés des Mayas, du *Popol-Vuh* en particulier, ce qui explique
ses liens naturels avec le « mayanisme ». En 1923, *Tierra* annonça que le
Département culturel de la ligue centrale de résistance de la section du
Sud-Est du Parti socialiste « dans sa hâte de populariser les livres saints ou
les codices de notre histoire », faisait circuler une nouvelle édition du *Popol-
Vuh* – la Bible de l'Amérique – puisque « sous les rares symboles et allégories
hiératiques [évoqués dans] ce livre [...] se dissimulent les croyances et
traditions primitives de cette race merveilleuse, dont l'archéologie s'efforce
de percer le secret [61] ». Partant de la combinaison de ces différents éléments,
la nouvelle classe politique entrevoyait la naissance d'un Mexique nouveau,
gouverné par :

« Des hommes supérieurs, qui s'élèvent suffisamment pour être aperçus
de tous les points du continent. Parmi ces hommes se trouve Felipe Carrillo
Puerto, *alma mater* de l'expérience socialiste transcendantale du Yucatán,
que nous qualifions de mouvement politico-social majeur de la vie latino-
américaine d'aujourd'hui, compte tenu de ce qu'il a accompli. On trouve
également (Plutarco) Elías Calle, le plus ardent défenseur de l'œuvre
révolutionnaire [62]. »

Carrillo Puerto a été assassiné en 1924, sans que la responsabilité
de ce crime ait été clairement établie. Selon la version officielle, il
a été poursuivi et exécuté par des militaires qui s'étaient alliés à la
rébellion huertiste et qui l'ont trahi. Le fait est qu'il figure dans l'histoire
officielle comme un « apôtre », ou comme un « martyr » révolutionnaire,
dont le projet progressiste a été saboté par des intérêts économiques
dominants.

---

60. « El resplandor del pasado » dans *Tierra*, Órgano de la Liga Central de
Resistencia, época III, n° 13, Mérida, 22 juillet 1923, p. 1.
61. *Ibid.*, p. 28.
62. Carlos Loveira, « El México de hoy » dans *Tierra*, Órgano de la Liga Central
de Resistencia, época III, n° 10, Mérida, 1er juillet 1923, p. 7.

Une de la revue *Teosofía en Yucatán*.

LA FIN DE L'HISTOIRE

Carrillo Puerto une fois disparu, l'influence de la théosophie paraît s'être déplacée de son contexte initial de propagande politique vers la construction du mythe relatif à la formation d'une nouvelle race et d'une nouvelle culture au niveau latino-américain. En 1927, en écho aux idées de José Vasconcelos, une revue théosophique du Yucatán, qui se présentait comme le « porte-voix des idéaux de la nouvelle race et de la nouvelle civilisation », abordait le thème de l'unité raciale américaine, et l'auréolait de mysticisme :

« Les enseignements occultes révèlent que sur la terre d'Amérique se forme une sixième sous-race ; la plus cultivée, et animée par l'amour sans passion [...] Dans un millénaire, devenue adulte sous l'effet du temps qui transforme tout, dans cet écheveau complexe dans lequel se dissimule l'âme, elle deviendra une amphore de lumière, d'amour et d'arômes [...] Flamme brillante de l'amour qui paraît s'allumer dans le cœur des hommes ; feu glorieux qui se ravive et croît. Incrédules d'aujourd'hui, ne soyez pas étonnés : l'œuvre du Seigneur de l'Amour est le jardin des âmes pures qui fleurit à présent [63]. »

À l'instar de leurs coreligionnaires de la ville de Mexico et d'autres pays latino-américains, au milieu des années vingt, les théosophes du Yucatán se proclamaient « chercheurs de la Vérité, qui s'efforcent de servir l'humanité en l'orientant vers la voie spirituelle et, par conséquent, qui essaient de contrecarrer le matérialisme et d'encourager la propension à la spiritualité partout où ils se trouvent [64] ». Dans cette optique, ils défendaient l'unité du genre humain ainsi que l'égalité des sexes et des races. Ils affirmaient que seul un nouveau spiritualisme dérivé du métissage pourrait résoudre les contradictions politiques et sociales. Aux antipodes du pragmatisme anglo-saxon, la nouvelle race latino-américaine allait développer une nouvelle spiritualité et, avec le temps, elle parviendrait à se situer au même

---

63. Primo F. Aranda, « La sexta sub-raza » dans *Teosofía en Yucatán*, Órgano del Grupo de Trabajo de las Logias Teosóficas de Yucatán, vol. 2, año III, n° 2, Mérida, juillet-août 1927, p. 60.
64. *Teosofía en Yucatán*, Órgano del Grupo de Trabajo de las Logias Teosóficas de Yucatán, Año I, n° 3, septembre-octobre 1925.

niveau que le pragmatisme anglo-américain pour former une civilisation américaine unique [65].

« Le contraste existant entre les civilisations américaines est étonnant. Il s'agit d'un contraste fondamental, qui se traduit par deux aspects qui, – sans être antagoniques car au fond l'humanité est une – suffiraient à caractériser l'histoire des deux civilisations. Au Nord, la civilisation nord-américaine, toujours plus définie et concentrée, qui a véritablement pris son destin en main ; au Sud, la civilisation latino-américaine multiethnique qui, des ténèbres, émerge vers la connaissance de soi. Cette dernière civilisation, première dans l'histoire, et dernière à l'ère du nouvel éveil et de la maturité, s'offre au regard des sentinelles, avec des promesses de splendeurs extraordinaires et de changement. L'effort pratique, à son apogée, qui caractérise la civilisation nord-américaine, doit s'unir aux institutions spirituelles et au génie artistique, marques du nouveau monde. On pourrait dire que les États-Unis ont formé le corps qui, par des souffles divins, doit mouvoir l'âme indo-latine. Ainsi, le sain opportunisme vital et le violent désir de l'esprit doivent-ils s'unir, en une très féconde conjonction continentale. Mais, avant que n'advienne cette lointaine conjonction, ces deux tendances doivent se tisser, sur la trame des siècles. Le Nord et le Sud, doivent s'offrir l'un à l'autre, en une apparente lutte, avec l'inévitable ferment de la jalousie et de l'orgueil, jusqu'à l'arrivée de l'âge adulte et sage. Le Sud commence à présent à germer. Les artistes, les philosophes et les politiciens géniaux, initiés aux arcanes de la race naissante, peuvent activer,

---

65. Sur ce point, les similitudes avec les conceptions de Vasconcelos sont saisissantes : « La population métisse d'Amérique latine ne constitue que la manifestation première d'une espèce de métissage que le développement du monde va engendrer sur toute la planète. La période de ségrégation et d'isolement des nations correspondait à la division et à l'autogenèse des races. À l'ère de la civilisation, non plus nationale ou raciale, mais planétaire, doit correspondre une race totale, une race qui par son sang même soit la synthèse de l'homme dans toute la variété et la profondeur de ses différents aspects. D'où la conclusion risquée, mais inévitable, que nous devons formuler. Le germe de cette future race cosmique, je le trouve dans la population contemporaine de l'Amérique latine [...] L'erreur du darwinisme, l'erreur de toutes les doctrines qui sont le fruit de l'observation de l'histoire naturelle, consiste à vouloir appliquer à l'homme les constances qui se découvrent dans les règnes qui méconnaissent la puissance de la volonté inspirée ou même l'intelligence. On sous-estime le facteur le plus important de la potentialité humaine : le souffle qui agite périodiquement les peuples et les pousse à accomplir leur destin [...] L'élément vital, soudainement inspiré par un noble but. Toute l'histoire ne tient-elle pas à cela ? Et tout ce qui s'en distingue ne relève-t-il pas de la zoologie ? Il n'y a quasiment pas de race qui n'ait été capable d'incarner, à une époque quelconque de son évolution, l'un de ces mouvements qui déjouent toutes les prévisions. N'oublions pas que les courants qui dévient le cours des événements procèdent de la seule force de l'esprit. » José Vasconcelos, *Indología. Una interpretación de la cultura hispanoamericana*. Agencia Mundial de Librerías. Paris, pp. 79-80. Du même auteur, *Prometeo Vencedor* (1921), *Estudios Indostánicos* (1922) et *La raza cósmica* (1925).

avec leur travail prophétique, le glorieux éveil latino-américain. Pour ceux qui sont éveillés, les premières lueurs pointent de l'Est [66]. »

La présence notable de la théosophie dans la péninsule après la mort de Carrillo Puerto s'explique aussi par le culte politique dont il fut l'objet dans de nombreux secteurs sociaux [67].

Il est surprenant que Lázaro Cardenás, autre dirigeant charismatique, ait repris des éléments de la stratégie politique de Carrillo Puerto en utilisant un discours qui exaltait à nouveau la grandeur du maya [68]. En 1937, le voyage de Cardenás se déroula toutefois dans un contexte politique totalement différent, et il avait pour but de centraliser et de réorganiser les pouvoirs régionaux et locaux qui gardaient toujours une certaine autonomie. Au cours de la visite officielle de Cardenás, les annonces de redistribution des terres alternaient avec les discours politiques traduits en langue maya et avec l'inauguration d'un stade sportif à Izamal, décoré avec des motifs mayas. Dans son excellent livre sur le cardénisme dans le Yucatán, Ben Fallaw analyse ces événements et il en déduit que le projet de réforme sociale et culturelle du cardénisme allait bien au-delà du domaine éducatif puisque d'autres éléments, peu étudiés, y jouèrent un rôle prépondérant. Outre la revalorisation du sport et la propagande visant la formation d'une nouvelle structure familiale, il évoque le projet de « revitalisation » du maya, entrepris par Alvarado et amplement développé par Carrillo Puerto [69]. La généalogie de ces formulations reste mal étudiée dans de nombreuses régions et une analyse au niveau national fait toujours défaut.

CONCLUSION

Au début des années 1920, dans le Yucatán, la théosophie a contribué à définir un courant indigéniste régional – le mayanisme –, qui s'est converti en instrument idéologique clef dans la légitimation d'un nouvel ordre politique et social. Les contenus et la symbologie du mayanisme, ainsi que

---

66. Segundo Ceballos, « Las rutas de los pueblos » dans *Teosofía en Yucatán*, Órgano del Grupo de Trabajo de las Logias Teosóficas de Yucatán, vol. 2, año III, n° 3, Mérida, septembre-octobre 1927, p. 73-74.

67. Les annonces concernant les réunions organisées par trois sociétés théosophiques ou « loges blanches » : les loges Mayab et Zamná à Mérida, la loge Amado Nervi à Progreso, qui ont été publiées dans divers journaux et revues, témoignent de la présence de la théosophie dans le Yucatán dans la seconde moitié des années vingt. Les horaires des veillées du Loto blanc, et ceux des réunions des dénommées Forces blanches, y ont été également publiés.

68. Ben Fallaw, *Cárdenas compromised. The Failure of Reform in Postrevolutionary Yucatán, op. cit.* ; "Cárdenas and the Caste War That Wasn't: State Power and Indigenismo in Post-Revolutionary Yucatán", *op. cit.* ; « Repensando la Resistencia Maya : Cambios en las Relaciones entre los Maestros Federales y las Comunidades Mayas en el Oriente, 1929-1935 » dans *Estrategias identitarias. Educación y la antropología histórica en Yucatán, op. cit.*

69. Ben Fallaw, *Cárdenas compromised, op. cit.*, pp. 89-90.

le montage d'un scénario politico-archéologique, sur lesquels se fonda le message d'amour et de fraternité que Carrillo Puerto destinait aux masses, ont été diffusés par le biais de la revue *Tierra*, organe officiel de propagande des ligues de résistance, ce depuis la sphère du pouvoir. Rien ne prouve que la théosophie eut été aussi présente si elle n'avait participé d'une stratégie d'invocation de l'héritage des civilisations mexicaines antiques dans une configuration de nationalisme postrévolutionnaire, repérable dans diverses régions du pays et au niveau national. En effet, Carrillo Puerto était un leader charismatique que la théosophie a contribué à sacraliser et dont la singularité consista à revendiquer un passé ancestral, tout en construisant un projet de futur utopique.

Si nous ne pouvons en déduire que les sociétés théosophiques ont soutenu ouvertement les initiatives de Carrillo Puerto, il ressort de ce qui précède que la doctrine théosophique a été utilisée comme un instrument qui a permis de teinter de spiritualité et de transcendance une expérience politique issue de la révolution. En s'appropriant les conceptions et les symboles théosophiques, Carrillo Puerto cherchait à incarner des valeurs universelles. Il s'est posé à la fois comme l'exécutant des desseins d'une force supérieure, et comme dirigeant élu par le biais d'un vote démocratique. En effet, cette idéologie cherchait à promouvoir un programme agressif d'ingénierie sociale qui voulait transformer et homogénéiser la population, tout en acceptant que certaines figures politiques émergentes se posent comme dépositaires de la quintessence de la race et de l'esprit ancestraux.

Traduit de l'espagnol par Brigitte Bailly

PÉRIODIQUES CONSULTÉS

Oriente. Órgano de la Escuela Racional, Mérida, 1917-1918. (Biblioteca Carlos R. Menéndez, Mérida)

Acción Feminista, Periódico Mensual para la Mujer, Mérida, 1919. (Archivo General del Estado de Yucatán, Fondo Poder Ejecutivo, Sección Gobernación, caja 691).

La Revista de Yucatán, Mérida, 1922. (Biblioteca Carlos R. Menéndez, Mérida)

Tierra, Órgano de la Liga Central de Resistencia, Mérida, 1923. (Biblioteca Carlos R. Menéndez, Mérida)

Teosofía en Yucatán, Órgano del Grupo de Trabajo de las Logias Teosóficas de Yucatán, Mérida, 1925-1929. (Hemeroteca del Estado de Yucatán, Mérida).

BIBLIOGRAPHIE

BASTIAN (Jean Pierre), *Los disidentes. Sociedades protestantes y revolución en México, 1872-1911*, México, Fondo de Cultura Económica y El Colegio de México, 1989.

BENJAMIN (Thomas), « Laboratorios del nuevo Estado, 1920-1929. Reforma social, regional y experimentos en política de masas » dans *Historia regional de la Revolución mexicana. La provincia entre 1910 y 1929*, Thomas Benjamin et Mark Wasserman, coords., México, Conaculta, 1992, pp. 109-135.

BUCK (Sarah A.), « El control de la natalidad y el día de la madre : política feminista y reaccionaria en México, 1922-1923 » dans *Signos históricos*, n° 5, Dossier « Género y cultura en la historia moderna de México y Argentina », México, Departamento de Filosofía, CSH/UAM/Ixtapalapa, janvier-juin 2001, pp. 9-53.

CASAÚS ARZÚ (Marta Elena) y GARCÍA GIRÁLDES (Teresa), *Las redes intelectuales centroamericanas : un siglo de imaginarios nacionales (1820-1920)*, Guatemala, F & G Editores, 2005.

DEVÉS VALDÉS (Eduardo) y MELGAR BAO (Ricardo), « Redes teosóficas y pensadores (políticos) latinoamericanos 1910-1930 » dans *Cuadernos Americanos* 78, año XIII, vol. 6, México, Universidad Nacional Autónoma de México, novembre-décembre 1999.

FALLAW (Ben), *Cárdenas compromised. The Failure of Reform in Postrevolutionary Yucatán*, Durham & London, Duke University Press, 2001 ; "Cárdenas and the Caste War That Wasn't : State Power and Indigenismo in Post-Revolutionary Yucatán" dans *The Americas*, vol. 53, n° 4, avril 1997, pp. 551-577 ; « Repensando la Resistencia Maya : Cambios en las Relaciones entre los Maestros Federales y las Comunidades Mayas en el Oriente, 1929-1935 » dans *Estrategias identitarias. Educación y la antropología histórica en Yucatán*, Juan A. Castillo Cocom et Quetzil E. Castañeda (editores), Mérida, UPN-OSEA CITE- Secretaría de Educación, Estado de Yucatán, 2004, pp. 91-119.

FEHÉR (Ferenc), *La revolución congelada. Ensayo sobre el jacobinismo*, México, Siglo XXI Editores, 1989.

GONZÁLEZ MELLO (Renato), "Orozco in the United States : an essay on the history of ideas" dans *José Clemente Orozco in the United States, 1927-1934*, Nueva York-Londres, Hood Museum of Art, Darmouth College in association with W. W. Norton & Company, 2002 ; « Diego Rivera entre la transparencia y el secreto » dans *Hacia otra historia del arte en México. La fabricación del arte nacional a debate (1920-1950)*, Tome III, Ester Acevedo (coordinadora), México, Conaculta-Curare, 2002 ; "Manuel Gamio, Diego Rivera and the politics of Mexican Anthropology" dans *Res* 45, Harvard University, printemps 2004.

González Navarro (Moisés), *Raza y tierra. La guerra de castas y el henequén*, México, El Colegio de México, Centro de Estudios Históricos, coll. « Nueva Serie 10 », Segunda edición, 1979.

Guénon (René), *El teosofismo. Historia de una pseudoreligión*, Barcelona, éd. Obelisco, 1989.

Hutin (Serge), « El espiritismo y la sociedad teosófica » dans *Historia de las religiones. Las religiones constituidas en Occidente y sus contracorrientes* II, vol. 8, sous la direction de Henri-Charles Puech, México, Siglo XXI Editores, 2001.

Joseph (Gilbert M.), *Revolución desde afuera. Yucatán, México y los Estados Unidos, 1880-1924*, México, Fondo de Cultura Económica, 1992; « El caciquismo y la revolución: Carrillo Puerto en Yucatán » dans *Caudillos y campesinos en la Revolución Mexicana*, editor David A. Brading, México, Fondo de Cultura Económica, 2005, pp. 239-276

Jrade (Cathy Login), *Rubén Darío y la búsqueda romántica de la unidad. El recurso modernista a la tradición esotérica*, México, Fondo de Cultura Económica, 1986.

Mantilla Gutiérrez (Jorge), « Política, revolución y poder en Yucatán, las ligas de resistencia, 1917-1923 », Tesis de Maestría en Ciencias Antropológicas, opción Etnohistoria, Mérida, Facultad de Ciencias Antropológicas de la Universidad Autónoma de Yucatán, 2003; « Los mayas en el pensamiento de Felipe Carrillo Puerto » dans *Camino Blanco. Arte y Cultura*, Revista del Instituto de Cultura de Yucatán, año 1, n° 2, Mérida, avril-juin 2002.

Pacheco Cruz (Santiago), *Recuerdos de la propaganda constitucionalista en Yucatán. Con una semblanza de la vida, actuación y asesinato del gobernador Felipe Carrillo Puerto (Apuntes históricos)*, s/e, Mérida, 1953.

Paoli (Francisco José) y Montalvo (Enrique), *El socialismo olvidado de Yucatán (elementos para una reinterpretación de la Revolución mexicana)*, México, Siglo XXI Editores, 1977.

Peniche Ponce (Carlos), « Introducción » à *Eugenia. Esbozo novelesco de costumbres futuras*, coll. « Relato Licenciado Vidriera », México, Universidad Nacional Autónoma de México, 2006.

Ramírez (Luís Alfonso), *Secretos de familia. Libaneses y elites empresariales en Yucatán*, México, Conaculta, 1994.

Sabido Mendez (Arcadio), *Los hombres del poder. Monopolios, oligarquía y riqueza en Yucatán: 1880-1990*, Mérida, Universidad Autónoma de Yucatán, 1995.

SABORIT (Antonio), « Prólogo » à *Pedro Castera*, México, Cal y Arena, coll. « Los Imprescindibles », 2004.

SAVARINO ROGGERO (Franco), *Pueblos y nacionalismo, del régimen oligárquico a la sociedad de masas en Yucatán, 1894-1925*, México, Instituto Nacional de Estudios Históricos de la Revolución Mexicana, 1997.

TABLADA (José Juan), *Obras IV: Diario (1900-1944)*, Edición y prólogo de Guillermo Sheridan, México, Centro de Estudios Literarios, Instituto de Investigaciones Filológicas, Universidad Nacional Autónoma de México, 1992.

TENORIO TRILLO (Mauricio), *Artilugio de la nación moderna. México en las exposiciones universales, 1880-1930*, México, Fondo de Cultura Económica, 1998.

TORTOLERO CERVANTES (Yolia), *Un espíritu traduce su creencia en hechos políticos: Francisco I. Madero (1873-1913)*, Tesis doctoral, México, El Colegio de México, 1999; *El espiritismo seduce a Francisco I. Madero*, México, Senado de la República, 2004.

TURNER (John Kenneth), « Los esclavos de Yucatán » dans *México bárbaro*, México, Colofón S. A., 2001, pp. 7-29.

URIAS HORCASITAS (Beatriz), *Historias secretas del racismo mexicano*, México, Tusquets Editores, 2007; « Retórica, ficción y espejismo: tres imágenes de un México bolchevique (1920-1940) » dans *Relaciones. Estudios de Historia y Sociedad*, n° 101, Zamora, El Colegio de Michoacán, hiver 2005, pp. 261-300.

VASCONCELOS (José), *Indología. Una interpretación de la cultura hispanoamericana*, Agencia Mundial de Librerías, Paris.

WASSERMAN (Mark), « Introducción » dans *Historia regional de la Revolución mexicana. La provincia entre 1910 y 1929*, Thomas Benjamin y Mark Wasserman, coords., México, Conaculta, 1992.

ZAYAS (Marius de), *Cómo, cuándo, por qué el arte moderno llegó a Nueva York*, Estudio introductorio y traducción de Antonio Saborit, México, Ediciones UNAM-El Equilibrista, 2005.

CHOISEUL ÉDITIONS

*Éditeur spécialisé dans les revues de sciences humaines
consacrées aux questions régionales et internationales*

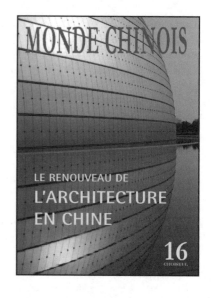

Quelques caractères originaux d'une culture métisse en Amérique latino-indienne [1]

François BOURRICAUD *

D'un séjour d'un peu plus d'un an au Pérou le voyageur rapporte des impressions, beaucoup d'hypothèses, et quelques faits [2]. Nous devions étudier une communauté agraire sur les bords du lac Titicaca. Cette étude nous a permis de nous défaire de quelques préjugés sur les communautés indigènes ; mais partis pour observer le paysan indien, nous découvrîmes que le meneur du jeu était le métis, ou le *misti*, comme on dit là-bas, par une corruption du mot espagnol *mestizo*. Cette observation n'a rien de très neuf : car en dépit de son volume, la population indigène accuse du retard par rapport au métis, qui possède une grande partie des terres, contrôle le commerce, règne en maître dans l'administration. Il y a bien des manières de caractériser la société que nous observions à Puno : faible productivité du travail agricole, revenu moyen qui ne s'élève guère au-dessus du niveau des subsistances, entendues dans le sens le plus restrictif, contraste entre d'immenses fonds et les parcelles

---

* François Bourricaud (1922-1991) était professeur de sociologie à la Sorbonne-Paris IV.

1. Cet article a été publié en 1954 dans les *Cahiers internationaux de sociologie*.
2. Ces observations ont été recueillies au Pérou. Pourtant nombre d'entre elles, sous réserve des retouches qu'imposent les situations locales, s'appliqueraient à l'Équateur et à la Bolivie : on reconnaîtra aussi des traits qui appartiennent au Mexique. C'est qu'il existe, selon le mot de M. Haya de La Torre, une « Amérique latino-indienne ». La civilisation aztèque et la civilisation inca étaient à coup sûr profondément différentes. La politique suivie par les vice-rois différait à Lima de celle pratiquée à Mexico. Enfin, depuis qu'elles ont conquis leur indépendance, les républiques héritières de l'Empire espagnol ont connu chacune une histoire originale. Mais elles montrent une physionomie commune si l'on écarte Argentine et Chili, tous deux pays à peu près complètement « blancs », qui est assez bien caractérisée par la référence latine-indienne chère à M. Haya de La Torre. C'est la description d'une culture métisse que nous tentons dans les pages suivantes.

exiguës du paysan vivant dans ses « communautés ». Quelques-uns de ces traits tiennent au milieu géographique. La concentration de la population sur les rives du lac s'explique peut-être par la qualité des terres ; le type des récoltes n'est évidemment pas indépendant du phénomène de l'altitude et des conditions météorologiques particulières qu'elle entraîne. L'histoire aussi a son mot à dire : les conquérants se sont taillé des domaines, et les *haciendas*, dont l'étendue nous émerveillait, ont quelquefois pour origine une donation du vice-roi qui récompensait la vaillance ou la fidélité. Bref, chaque trait peut être expliqué par une cause particulière. Mais nous avons été frappés par un fait, qui pourrait rendre compte sinon de tous les faits particuliers, que nous avions d'abord observés en ordre dispersé, mais d'un bon nombre d'entre eux, de ceux au moins qui touchent à l'équilibre général de cette société : la prédominance du métis, avec les conséquences sociales et culturelles que cette prédominance entraîne. Bien entendu, cette formule est très vague. Nous nous emploierons à la qualifier, en localisant le groupe métis, et en précisant par quels mécanismes se développe le métissage : nous pourrons alors apercevoir les conséquences produites par ce processus, et les comparer à quelques autres forces également frappantes qui travaillent la société péruvienne et la soumettent à des tensions de plus en plus violentes.

D'abord, qu'est-ce qu'un Indien ? Qu'un Métis ? Le dernier recensement péruvien, qui remonte à 1940, nous apprend que 89 % de la population est constituée de Blancs et de Métis, le reste, outre les tribus selvatiques et, sur la côte, quelques « Nègres » et quelques Chinois, composent le contingent indien. Ce chiffre s'interprète mieux, si l'on note la confusion, dans une seule catégorie, des Blancs et des Métis. Les Blancs, purs de tout mélange, constituent numériquement une minorité infime, et aucun critère précis, comme nous allons le voir, ne permet de les distinguer des Métis. Notons aussi que l'appartenance à l'un ou l'autre de ces groupes résulte soit de la déclaration expresse du recensé, soit de la décision du fonctionnaire chargé du recensement. Dans 13 % des cas, c'est l'intéressé qui a fourni la réponse et son opinion a été tenue pour valide ; dans les autres 87 %, ce sont les recenseurs qui ont affecté les individus au groupe indien, blanc et métis, selvatique, « nègre » ou chinois.

Sur quels critères se fondent ces appréciations ? On invoque les traits physiques : couleur de la peau, forme du visage, implantation des cheveux. Mais ces particularités permettent bien de décider qu'un individu à pommettes saillantes, à pilosité nulle ou faible, à cheveux noirs, plats et abondants, à pigmentation jaunâtre, n'appartient point au type caucasien. Il est en revanche bien difficile d'apprécier, à partir de tels indices, le dosage des sangs, et le plus sage serait de reconnaître qu'une telle population est fortement métissée, que sur le fonds autochtone, lequel au moment de la conquête était déjà très bariolé, sont venus s'adjoindre des groupes d'importation européenne, eux-mêmes passablement hétérogènes. Cette observation, si peu contestable qu'elle soit, ne nous avance pas beaucoup. Une fois reconnu que du point de vue de l'anthropologie physique la population péruvienne participe d'un certain métissage où les composantes caucasiennes et américaines sont diversement apparentes, il reste encore à observer que les intéressés distinguent d'eux-mêmes des Blancs, des Métis, des Indiens, que les groupes qui résultent de cette différenciation spontanée ne se superposent pas à ceux découverts par l'anthropologue, enfin, que ces groupes sont ordonnés et hiérarchisés selon une échelle de prestige, et que cette stratification nous livre quelques-uns des traits les plus apparents de structure de la société péruvienne, en même temps qu'elle nous livre peut-être son principe d'évolution.

L'Indien, disons-nous, ne se distingue pas du Métis par des traits physiques précis et univoques. Ajoutons qu'il ne s'en distingue pas non plus par un ensemble de qualités sociales et culturelles constantes. Prenons le critère linguistique. Dira-t-on qu'un individu se classe comme Indien s'il ne parle que le quechwa ou l'aymara, et comme Métis s'il ne parle que l'espagnol ? En gros, oui. Mais cette remarque n'est vraie qu'en gros – et à nous en tenir à ce niveau de généralité, nous risquerions de négliger l'essentiel et le plus instructif. D'abord, un pourcentage non négligeable de la population est bilingue. Selon les calculs de John Rowe [3], sur les 3 102 996 personnes recensées qui parlent le quechwa, à peu près un million est aussi bilingue. Nous avons pu observer nous-mêmes les progrès dans la diffusion de l'espagnol, que l'on appelle au Pérou la campagne de *castellanización*. Il faut prendre le chiffre de Rowe avec réserve, car on se rend bien vite compte de l'extrême maladresse dans le maniement de la syntaxe et du vocabulaire espagnol, dont font preuve des individus qui pourtant se qualifient eux-mêmes de bilingues. Mais le million de *quechwistas* (gens de langue quechwa) qui ont aussi une certaine pratique de l'espagnol, nous suggère que pour distinguer l'indigène du métis, le critère linguistique ne suffit pas. Ajoutons que dans le Nord du Pérou, dans la région de Cajamarca, ou dans la partie montagneuse du département de Piura, des individus classés comme Indiens ne parlent que l'espagnol, et ne comprennent plus le quechwa ; et nous avons vu nous-mêmes, à Puno, des individus qui ne savaient pas beaucoup d'espagnol, et que les indigènes considéraient pourtant comme des *misti*.

Ces classifications sont d'ailleurs essentiellement relatives, non point tant à l'individu qui les énonce, qu'au groupe social auquel appartient cet individu. Il n'est pas très difficile à Puno de déterminer quelles personnes peuvent être qualifiées indigènes, quelles autres *misti*, et de prévoir qu'un accord quasi unanime se réalisera sur ces qualifications. Seulement tel individu, qui à Puno appartiendra au groupe dominant de *misti*, ceux qui se désignent eux-mêmes comme la *gente* (les « gens bien »), ne sera peut-être plus qu'un *cholo* pour la *gente* de Lima. Le nom de *cholo* mérite une étude, car les conditions si diverses dans lesquelles il est employé dénoncent l'ambiguïté, l'équivoque sur lesquelles repose cette stratification spontanée. Un *cholo* c'est un Métis. Mais le nom est plus appréciatif ou dépréciatif que classificatoire. Bref, il exprime d'une manière elliptique l'ensemble d'attitudes très complexes

---

3. "Indians and Indian languages in Peru", *Geographical Review*, n° 2, 1947, pp. 202-215.

suscitées par le Métis. Dire de quelqu'un que c'est un *cholo* peut être une insulte. On signifie par là qu'un individu, venu d'on ne sait où, sans manières, se pousse vilainement. Le *cholo* est aussi le personnage sale, vulgaire, bruyant et volontiers un peu ivrogne, une sorte de repoussoir pour toute personne éduquée dans les raffinements de la civilisation créole. Le mot est souvent employé par les gens de Lima, ou plus indistinctement, par les gens de la côte, pour exprimer leur dédain pour les *serranos*, ceux de l'intérieur. Mais *cholo* peut être, sinon un éloge, du moins un terme d'amitié. Le *cholo* est malin, vif; bien entendu, il n'est pas très affiné et la bonne société ne fera pas de lui volontiers sa compagnie. Mais on reconnaîtra qu'il a des qualités dont est dépourvu le *criollo* : plus patient, plus fruste, moins brillant, mais plus appliqué et plus laborieux. Le portrait est incohérent, mais il le faut bien, puisque le *cholo*, plus qu'un type social, est un stéréotype.

Ce ne sont donc point des critères objectifs qui permettent de circonscrire le groupe indigène, et de le distinguer du groupe métis : c'est un ensemble de sentiments confus et de perceptions obscures, qui s'expriment par une échelle de prestige. L'Indien, c'est avant tout un personnage confiné dans des rôles subalternes, le Métis exerçant sur lui un pouvoir plus ou moins discrétionnaire. Quant au « cholo », nous aurions tendance à le considérer comme l'élément mobile en voie d'ascension et qui cherche, parfois par le reniement de ses origines les plus manifestes, à se faire reconnaître par le groupe dominant. À définir l'échelle Indiens-*Cholos*-*Métis*, comme une hiérarchie de prestige, nous voulons dire seulement que si l'on interroge tel ou tel de nos informateurs sur les raisons qui l'amènent à classer ses amis ou ses connaissances dans l'un ou l'autre de ces groupes, il répondra, en mettant en avant une appréciation globale et indifférenciée. Pour nos interlocuteurs, la stratification sociale était spontanément perçue comme une hiérarchie qualitative de prestiges. À Puno, ce qui importe, ce n'est pas tant ce que font les gens, que ce qu'ils sont. Et ce qu'ils sont est perçu comme un ensemble de qualités qui permet de les situer plus haut ou plus bas sur une échelle. Bien entendu cette détermination du *status* reste très imprécise, et l'accord ne se réalise pas toujours sur les qualités dont la possession confère du prestige. Le modèle culturel dominant n'est cependant pas trop malaisé à esquisser. Disons en gros que le *caballero* s'impose moins par sa réussite professionnelle que par son aisance dans un certain ton ou dans un certain style. Durant notre séjour à Puno, ville d'une quinzaine de milliers d'habitants, nous avons été frappés par l'importance qu'y tient pour l'évaluation d'un individu, sa participation aux clubs et sociétés récréatives diverses. Il importe de faire bonne figure dans les fêtes, de bien se tenir le verre à la main – même si derrière la façade de cette consommation ostentatoire se dissimule une avarice profonde et sournoise. La compétence du technicien que nos sociétés industrielles prisent si fort n'est ici que peu appréciée. Le titre *d'ingeniero* ne vaut pas, à celui auquel on l'accorde, la considération qui s'attache au titre de *Doctor*, en principe réservé aux avocats et aux médecins, mais en fait très libéralement dispensé à toute personne instruite.

De ces qualités qui placent le *caballero* en haut de l'échelle du prestige, l'Indien est évidemment dépourvu, et l'on peut bien dire que ce qui définit l'Indien, c'est précisément la privation de tels attributs. Au fond, ces attributs définissent un type aristocratique, puisqu'ils signifient le mépris du travail et l'exaltation du loisir. Les raffinements dont à Puno ou dans toute autre ville de la *sierra* péruvienne se contente le *caballero*, peuvent nous sembler dérisoires. Ils procèdent pourtant d'un idéal de vie noble, où le *status* personnel n'est guère mis en cause par des réussites ou des échecs de comptabilisation aisée comme la promotion dans une hiérarchie administrative, ou l'accession à un niveau supérieur de revenus, mais s'attribue comme la reconnaissance de qualités gratuites, et pour tout dire inappréciables : la finesse, la bonne grâce, la ruse ou la vivacité. Des situations institutionnellement définies et organisées permettent d'apprécier la présence ou l'absence chez un individu de telles qualités. Mais comme la perception en est malaisée, la hiérarchie sociale est en réalité extrêmement instable et changeante. Aux premiers temps de notre séjour à Puno, nous nous imaginions que dans une ville comme celle-là, petite et de faible activité, les gens d'importance pouvaient être facilement repérés, et que leurs positions respectives n'étaient pas susceptibles de s'altérer, sinon au cours de très longues périodes. Nous fûmes pourtant témoin d'un renversement qui nous amena à nous demander si cette apparente immobilité ne masquait pas une continuelle révision et mise en cause du *status* de chacun des notables par ses pairs.

Cette société, qui attache tant de prix aux qualités et assez peu à ce que l'individu accomplit, est bien loin d'être inerte. Et nous aurions tout à fait tort de l'imaginer sur le patron d'un régime de castes. L'Indien est sans doute privé de certaines qualités et ce manque lui assigne un *status* inférieur. Mais cette privation, si elle distingue l'Indien du Métis, n'établit pas entre les deux groupes une distance infranchissable. Nos informateurs de Puno exagèrent sans doute cette distance. L'Indien vit retranché dans ses communautés villageoises. Le Métis se glorifie volontiers de tout ce qui le fait différent de l'indigène. Mais le sociologue a grand intérêt à ne pas prendre pour argent comptant ces déclarations vingt fois répétées que « nous, Indiens, ne voulons rien savoir des Métis », ou que « nous autres, ne sommes pas comme ces Indiens ». En fait, dans les deux groupes, les mœurs, les sentiments, certaines attitudes fondamentales sont tout à fait comparables. On invoque souvent, pour souligner l'originalité de la culture indigène, la persistance des quelques institutions incasiques. Il est vrai que les régimes agraires contemporains conservent de nombreuses coutumes précolombiennes. Mais quand on y regarde de plus près, on s'aperçoit que les fameuses communautés ont à peu près tout perdu de leur hypothétique communisme primitif. Le nom de *comunidades* désigne des villages, où des paysans, propriétaires de parcelles minuscules, sont soumis à des servitudes collectives, en ce qui touche l'assolement et quelques travaux d'intérêt commun (entretien des fossés, *acequias*, par exemple). Mais point d'appropriation collective, ni de redistribution des parcelles selon que les besoins du cultivateur et de sa famille s'accroîtraient ou diminueraient. Ces deux traits essentiels par lesquels les chroniqueurs espagnols décrivaient la structure agraire de l'Empire Inca ont à peu près disparu des actuelles communautés agraires péruviennes. Plusieurs contrastes apparaissent bien entre la propriété indigène et le grand domaine aux mains du *misti*. Mais c'est une vue bien simpliste et sans doute intenable de décrire la première sous sa forme contemporaine, comme une organisation typiquement autochtone, et la seconde comme une forme stabilisée depuis son importation par les conquérants espagnols. Reconnaissons pourtant que c'est dans la structure agraire que s'est le mieux préservé l'esprit de la civilisation incasique.

Une coutume, comme *l'ayni*, mérite à cet égard d'être mentionnée. Il s'agit d'une prestation de services entre parents ou amis, qui acceptent de travailler à charge de revanche les uns pour le compte des autres. (L'unité de mesure est la journée de travail agricole.) Et comme *l'ayni* est toujours associé aux fêtes et réjouissances qui marquent les semailles ou la moisson, on voit qu'il incarne symboliquement, et d'une manière très expressive, un idéal de réciprocité : ainsi contribue-t-il à maintenir le village, sinon parfaitement uni, du moins intégré. Mais le paysan ne répète pas seulement sous nos yeux des coutumes précolombiennes. Il emprunte aussi bien à la source espagnole. Si le régime agraire actuellement observable conserve de nombreux éléments antérieurs à la conquête, il porte aussi les marques du métissage, puisqu'une partie des espèces animales domestiques et quelques végétaux essentiels comme le blé, et des céréales secondaires, sont d'importation européenne.

Mais tout aussi importants que ces éléments de la culture matérielle, sont les institutions et les croyances assimilées par la société indigène. La répartition de l'autorité dans la famille, la structure des rôles familiaux, sont directement comparables chez les Métis et chez les Indigènes. La subordination des enfants aux parents, de l'épouse à son mari est la règle prêchée avec insistance par l'Église catholique. Et les déviations (prévisibles) par rapport à cet idéal s'observent aussi bien chez les Indiens que chez les Métis. Une institution, comme le *compadrazgo* (parrainage), est aussi florissante chez les uns que chez les autres. Le parrain et le filleul sont tenus par un système d'obligations réciproques qui constituent un des mécanismes les plus efficaces entre les mains des ambitieux. Nous sommes tentés de croire qu'Indiens et Métis donnent de la foi catholique des interprétations qui ne sont pas très divergentes. La religion est d'abord saisie sous son aspect esthétique. Le culte est inséparable de la *Fiesta*. Esthétique, « expressive », cette religion est aussi utilitaire. Le saint patron est un intercesseur plus ou moins efficace auquel nous recourons dans les traverses que la vie nous réserve. L'aspect éthique, en revanche, est à peine marqué. Sans doute, reconnaît-on l'existence de fautes et de péchés. Mais commettre un péché, c'est contrevenir à un rite, se dispenser de son exécution (ne pas assister à l'office, ne pas dire une prière, ne pas offrir une messe pour l'âme de ses défunts), ou faire ce qui est défendu. Seulement, la violation d'un rite est annulée par l'accomplissement d'un autre rite. Le sacrement de pénitence absout le pécheur. Il n'est pas de saint qui ne se laisse fléchir à coup de cierges ou de prières.

Ces observations surprendraient sans doute nos amis de Puno. Il est de coutume, parmi la *gente,* de railler les superstitions indigènes. Mais si la crédulité des Métis ne se porte pas sur les mêmes rites que celle des Indiens, elle nous paraît, à nous, de même nature, ou du moins fort comparable. Bien souvent d'ailleurs les déclarations de scepticisme et un mépris bruyant à l'égard des croyances et des pratiques bizarres des indigènes vont avec le recours au sorcier ou au guérisseur. Ce que l'on appelle au Pérou la « médecine populaire » (disons, la médecine non scientifique) constitue une zone de transition entre la magie indigène, si clairement orientée vers le maintien de l'intégrité de l'individu, dans son corps, dans ses biens, dans ses relations personnelles et domestiques, et la religion catholique sous son vêtement local, où la croyance dans l'efficacité temporelle de l'Esprit, ou plutôt des esprits, se trouve soulignée et renforcée par un rituel très délibérément dramatique et émouvant. Bref, l'univers du *misti* comme celui de l'Indien est peuplé d'intentions, malignes ou bienveillantes, de charmes, que la magie et la religion nous mettent en état de capter et de retenir.

Ce qui sépare et oppose Indiens, Métis, *Cholos,* est immédiatement perceptible ; et les intéressés ne tarissent pas sur ce qui distingue chaque groupe des deux autres. Mais l'observateur découvre avec un peu d'attention que tous trois participent d'une même société – et d'une même culture. La comparaison entre les structures familiales, les croyances magiques et religieuses, fait ressortir ce fait avec beaucoup d'évidence. Mais l'homogénéité culturelle des trois groupes se manifeste de manière peut-être plus décisive, dans leur conception spontanée des relations sociales. Nous avons vu que nos amis de Puno se représentent leur société comme une hiérarchie de prestiges, et que l'élément qualitatif pèse plus lourd dans cette représentation que l'élément fonctionnel. Telle personne ou telle famille se situe plus haut, non point tant à raison de la profession, ni même de la richesse du chef de famille, qu'à cause d'un ensemble de qualités plus ou moins impondérables dont X. est privé, Y. pourvu. Il en résulte que les relations interpersonnelles ne sont pas perçues ou imaginées comme un système de rapports abstraits découlant de la division du travail, mais comme des expressions spontanées ou calculées, de bonne grâce ou de bon vouloir qui n'engagent que celui qui en prend l'initiative et celui qui en est le bénéficiaire. C'est ce que nous avons essayé de décrire sous l'étiquette de « lien personnel ». Or les relations sociales sont, pour le Métis comme pour l'Indien, toujours du type personnel, presque jamais du type fonctionnel. De là, la dévalorisation des activités techniques ou administratives. L'ingénieur, nous l'avons dit, n'est pas très élevé dans l'échelle des prestiges. Le fonctionnaire n'est en aucune façon un bureaucrate, au sens de Weber ; il est un client lié à la fortune de son patron. Aussi les phénomènes de parrainage sont-ils d'une importance décisive. « Celui qui n'a pas de parrain ne se marie pas » *(el que no tiene padrino no se casa),* dit un proverbe. Notons la complication et la multiplicité des liens de parrainage : les parrains de baptême et les parrains de mariage ne doivent pas seulement aide et protection à leurs filleuls, mais entre eux-mêmes, et les parents du filleul se tissent des liens. L'expression de *compadre* est en usage entre les parrains et les parents, parfois entre les parents et les beaux-parents, quand il s'agit d'un mariage. Ces liens ne sont pas seulement cérémoniels. Ils impliquent des obligations étendues d'assistance. Le *compadrazgo* est une institution caractéristique parce qu'elle est commune aux Indiens comme aux Métis, et surtout parce qu'elle contribue évidemment à former l'image que les gens de Puno ont de la Société. Celle-ci n'est, en aucune manière, imaginée selon les catégories de l'organisation professionnelle, mais comme un réseau d'obligations qualitatives et particulières entre des parents, des « compères » et des amis. Sans doute aucune organisation sociale ne peut-elle se passer de règles universellement valides ; mais si à Puno les magistrats et avocats constituent le seul groupe professionnel, l'emportant en prestige de très loin sur les médecins, c'est précisément qu'ils constituent des médiateurs, des arbitres, beaucoup plus que des juges. Ils n'appliquent pas ou ne définissent pas une loi impersonnelle : ils « arrangent » des affaires difficiles.

Sur la communauté d'attitudes que nous venons de noter en ce qui touche aux relations sociales, à l'univers magico-religieux, à l'autorité familiale, Indiens et Métis ont bâti une compréhension implicite beaucoup plus profonde et vivace que ne le laissent croire des conflits d'intérêts et des incompatibilités d'humeurs si manifestes qu'ils absorbent souvent toute l'attention de l'observateur. Entre Indiens et *misti* la lutte pour la terre est très âpre. L'Indien a le sentiment que le *misti* ne songe qu'à le dépouiller de son champ. Et le *misti*, surtout s'il est propriétaire foncier, ne tarit pas en récriminations contre les « communautés » indigènes, qui produisent peu et mal, menacent l'ordre par leur turbulence, sans rien dire des pilleries continues dont leurs membres se rendraient coupables au détriment de la *hacienda*. La situation est probablement plus noire encore que ne la voient les intéressés. Le rapport entre les subsistances et les terres disponibles, déjà si défavorable, risque de se détériorer, à la fois parce que la population s'accroît et parce que les grandes *haciendas*, se spécialisant de plus en plus dans l'élevage, dégagent un surplus de main-d'œuvre, à laquelle ne s'offre aucun emploi de transfert, puisqu'il n'y a pour l'instant à peu près aucune industrie dans la région. Le conflit entre Indiens et Métis prendra socialement la forme d'une lutte agraire. Mais du coup les Métis comme groupe social risquent d'y perdre leur unité. Le grand propriétaire foncier n'a pas toujours très bonne réputation parmi les avocats, notaires ou magistrats, moins encore chez les maîtres d'écoles, petits fonctionnaires, officiers de rang subalterne, ou même moyen. Au regard des Indiens ces gens, pourtant tout comme le *hacendado*, sont des *misti*, des non-Indiens. Mais les violences, l'iniquité, dont se rend souvent coupable le propriétaire foncier, n'ont pas d'accusateurs plus passionnés que ces intellectuels de petite ville, instituteurs, professeurs ou tabellions (*tinterillos*, comme on dit à Puno). Le mouvement indigéniste, qui exalte parfois avec plus de flamme que de discernement, le grand passé préincasique du Pérou, est un produit de cette intelligentsia métisse, qui exprime la protestation de gens instruits, ambitieux, mécontents, auxquels la classe nantie des propriétaires dénie toute chance de promotion. Le « socialisme » des Incas est un merveilleux prétexte pour dénoncer l'avarice des conquérants et condamner la dureté des *hacendados*, leurs actuels successeurs. Bien entendu, ce roman historique est à peu près gratuit. Les grands domaines, sous leur forme actuelle, se sont constitués depuis l'indépendance. Et quant aux descendants des *conquistadores*, cette image émouvante qui cherche à mobiliser la passion de la liberté contre les fils supposés des antiques oppresseurs, est de pure rhétorique ; car la classe actuelle des grands propriétaires s'est renouvelée et compte, outre quelques familles dont la pure filiation coloniale est certaine, des éléments divers et bariolés. Ce n'est point la note folklorique qui assure la popularité de l'indigénisme. L'exaltation du passé précolombien n'équivaut pas à une répudiation de tout le présent. L'indigénisme n'est pas « réactionnaire » en ce sens qu'il proposerait comme panacée le retour du régime incasique. D'ailleurs, les indigènes ne manifestent point toujours de la répugnance à changer leurs coutumes, s'ils voient dans ce changement un avantage. La diffusion de techniques agraires nouvelles ne rencontre pas de résistance. Elle est seulement contrariée par des conditions matérielles défavorables. L'indigène intelligent, ouvert, dont la vie familiale est heureuse, montre de l'intérêt pour l'instruction de ses enfants. Non seulement il voit tout l'avantage dont dispose l'homme instruit, qui sait parler l'espagnol, lire et écrire ; mais peut-être même, aurait-il tendance à exagérer la portée de cet avantage. Point de *revivalism*, chez l'indigène, mais une ouverture très manifeste à la civilisation du *misti*. Ces observations nous permettent d'éviter sur le mouvement indigéniste quelques erreurs courantes. Répétons-le, il ne s'agit pas d'une tentative pour ressusciter le passé. Il s'agit avant tout de la protestation d'intellectuels métis contre une certaine répartition de la propriété des terres et du pouvoir politique, contre un certain ordre social dont la forme la plus saisissante est constituée par l'exploitation de la main-d'œuvre indigène, qui tient les protestataires à l'écart et se refuse à reconnaître leurs talents.

Le groupe métis, on le voit, est socialement très peu homogène et même très profondément divisé. Les propriétaires sont des Métis, d'abord, en ce sens qu'ils ne sont ni des Indiens, ni, dans l'immense majorité des cas, des « Blancs » ou des « Caucasiens ». Biologiquement, ils sont indiscernables de leurs adversaires indigénistes, Métis tout comme eux. La civilisation réelle et idéale, les manières d'être, de sentir, d'agir, comme les idéologies, ne distinguent pas non plus très radicalement le *hacendado* des membres de l'intelligentsia de petite ville. Sans doute au niveau superficiel des opinions, des conflits, apparaissent-ils : l'indigéniste est parfois sceptique en matière religieuse, tandis qu'un certain étalage de dévotion sied au propriétaire. L'indigéniste, en politique, est radical, le propriétaire, conservateur. Pourtant l'un et l'autre, éventuellement, recourent au « guérisseur » et se font du jeu politique et administratif une image comparable : si les opinions divergent, les mentalités sont voisines.

Nous avons soutenu que les valeurs dominantes chez les Métis sont très comparables aux valeurs dominantes chez les Indiens. Nous reprendrons la même thèse et la même démonstration pour les groupes rivaux chez les Métis que nous nous efforçons maintenant de décrire. Bien entendu, il ne s'agit que des valeurs dominantes, et il serait trop facile de tirer argument des variantes que ces valeurs sont susceptibles de revêtir. Prenons ce que l'on appelle le style, ou la civilisation créole. Originairemînt, par créole on entendait le Péruvien de pure souche espagnole, mais né en Amérique. Le mot a vite perdu de sa rigueur et s'emploie aujourd'hui surtout pour désigner le genre de vie le plus raffiné, le plus élégant, mais qui a su préserver sa saveur originale. Le créole s'oppose ainsi à l'étranger. Et d'un étranger, d'un *gringo* qui s'est bien acclimaté, on dit qu'il s'est *acriollado*. Un Allemand, par exemple, un Nord-Américain, ont-ils pris le tour et l'esprit de Lima ? Le voilà en bonne voie pour se « créoliser ». L'accent est mis sur la légèreté, la vivacité. Et il est remarquable que ce sont des jeux, des divertissements, que l'on qualifie de créoles : une danse *(el vals criollo)*, des recettes culinaires d'ailleurs savoureuses (soupes de poisson ou manières d'accommoder le canard). Seulement, il serait tout à fait inexact de confondre la culture métisse et la culture créole. La *gente* (bonne société) de Puno ou de Cuzco ne peut pas être qualifiée sans réserve de créole. Les gens de Lima montrent du dédain et de la méfiance pour les *serranos*, réputés balourds, tortueux, malins pourtant mais à force d'application, et sans trouvaille ni étincelle. Seulement pour profondes qu'elles soient, il ne faut pas exagérer ces différences, auxquelles on se laisse d'autant mieux prendre que le patriotisme local et régional est très vif au Pérou. Les gens d'Arequipa, la « ville blanche » où vécut Flora Tristan, l'amie de George Sand, font profession de dédaigner les gens du Cuzco et ceux de Lima, qui le leur rendent bien. Mais si, au lieu de s'attacher aux traits qui assurent à la civilisation de la côte son originalité par rapport à celle de la *sierra*, on considère les secteurs principaux de l'organisation sociale, on ne peut manquer d'observer les ressemblances et les parentés. À Lima, la mode est de faire sonner bien haut la *peruanidad*. Ce vocable désigne les ambitions territoriales de la République péruvienne, mais il souligne aussi l'existence d'un esprit commun qui assure à la Nation son unité. Or cet esprit commun de la *peruanidad*, c'est précisément la culture métisse qui l'exprime le mieux. Le Pérou contemporain proclame sa double filiation. Il se reconnaît l'héritier du grand Empire précolombien, qui sut rassembler, éduquer, nourrir des populations nombreuses et si diverses. Il ne renie point ses origines indiennes, et nos interlocuteurs les moins suspects d'« indigénisme » ne manquaient jamais d'affirmer leur dévotion à cette période du passé national. Mais d'une certaine manière, l'Espagne reste l'inspiratrice : la *madre patria*, Lima, la ville des Rois *(la ciudad de los Reyes)*, et le Cuzco, la cité impériale et royale. Le conflit si bruyant entre les *hispanizantes*, ceux des intellectuels en général conservateurs, qui aiment à souligner l'appartenance du Pérou au monde hispanique, et les indigénistes, ne peut pas faire oublier aux uns et aux autres qu'à omettre l'une de ces deux références, c'est l'originalité de la *peruanidad* qui disparaît.

Le Pérou contemporain reconnaît très explicitement sa double origine. Mais la prédominance culturelle du Métis ne doit pas s'entendre comme la reconnaissance de la double affiliation incasique et espagnole ; elle signifie aussi et, peut-être avant tout, que chacun de ces héritages pris en lui-même est insuffisant, et que le trésor de la tradition nationale résulte de leur mélange. Nous avons souligné que l'indigénisme, sauf dans quelques cas extrêmes, ne rejette pas tous les apports européens. D'ailleurs, il n'est au pouvoir de personne de négliger les progrès matériels introduits par la civilisation technicienne. Inversement, les grandeurs du passé incasique sont reconnues par les *hispanizantes* les plus décidés. La *peruanidad* doit donc concilier deux traditions et la culture métisse constitue cette synthèse, ou plutôt ce compromis.

Il faut voir maintenant que cette synthèse implique la valorisation de l'indigène non point dans les traits les plus originaux et pour ainsi dire distinctifs de sa culture, mais comme le sujet d'un manque et la victime d'une injustice, promise à une éclatante réparation. Nous disions que l'Indien se situe tout en bas de l'échelle des prestiges : à Puno, c'est le portefaix qui traîne dans la rue, la marchande qui offre ses oignons ou ses poissons séchés. Mais l'Indien n'est point condamné par nature à cette condition. Sans doute les promotions sont-elles rares. Mais leur possibilité, si réduite soit-elle, demeure implicite dans l'esprit du *misti* qui bien souvent évalue les indigènes selon leur aptitude à apprendre, bref, à sortir de leur condition d'indigènes : celui-ci est débrouillard, appliqué – « de cet autre, il n'y a rien à attendre ». Ainsi, l'indigène qui par chance ou par travail réussit à gagner un peu d'argent, à ouvrir une *tienda* (boutique d'épicerie), à se faire embaucher comme chauffeur sur un camion, cesse d'être un Indien pour devenir un *cholo*, catégorie ambiguë à l'égard de laquelle se manifeste tantôt une sympathie pleine d'approbation pour le malin qui monte, tantôt de l'agacement contre l'intrigant qui « ne sait pas rester à sa place ». Ce n'est donc point l'Indien dans la pureté de ses traditions que la culture métisse exalte mais l'Indien en voie de métissage.

Il en résulte un conflit entre la hiérarchie actuelle des prestiges qui enregistre l'humiliation de l'indigène, et une certaine image tenue pour idéale, où celui-ci apparaît comme le héros. Cette image est d'autant plus efficace qu'aucun obstacle intrinsèque ne ferme la carrière au héros : sauf l'égoïsme et la méchanceté des privilégiés. L'opinion que par nature l'indigène est moins intelligent, moins industrieux, justifierait qu'il soit maintenu dans une situation humiliée, mais cette opinion n'a que peu de crédit et l'idéologie dominante penche clairement dans l'autre direction. Des promesses de révolution sont donc inscrites pour la société péruvienne dans l'avènement de la culture métisse. Quand nous disons révolution, nous entendons une mise en cause de l'équilibre social total, et non pas seulement une redistribution de quelques rôles dans le cercle assez étroit de l'élite politique. L'exaltation de l'Indien en voie de métissage est significative non point tant parce qu'elle réclame pour la partie indigène de la population un meilleur traitement, mais parce qu'elle fournit un thème d'une richesse inépuisable à l'indignation et à l'enthousiasme de tous ceux qui se sentent victimes d'une injustice, et qu'ainsi elle offre aux Péruviens une image dynamique de leur société et de son avenir. Nous avons vu que dans l'évaluation des personnes, nos amis de Puno attachent plus d'importance à ce que l'on est qu'à ce que l'on fait. Aussi notre première impression fut-elle que cette société ne bougeait pas. Deux observations suffirent à nous convaincre que nous nous étions trompés. D'abord les qualités sur lesquelles on juge une personne sont bien souvent confuses, et par conséquent prêtent à discussion. Il en résulte aussi que les évaluations sont instables. Rien n'est plus simple que de reconnaître que M. X. appartient à l'illustre famille des Durand ; et si le prestige d'un individu se déterminait exclusivement par son appartenance à une unité familiale, l'attribution de cette qualité serait aisée, d'un coup, et irrévocable. Mais à Puno il s'agit d'apprécier la gentillesse, la finesse, bref les qualités de *caballero*. Aussi la hiérarchie des prestiges dans la *gente* (bonne société) est-elle extrêmement fluide et changeante. Fait qui surprend puisque dans cette petite ville sans industrie la distribution et l'allocation des symboles du prestige (comme l'argent, la profession), sont remarquablement stables. Mais le paradoxe disparaît quand on s'aperçoit que les symboles du prestige, n'étant ni quantitatifs comme le revenu monétaire, ni logiquement univoques comme l'appartenance à une classe familiale, expriment des manières d'être et un style de vie, et à ce titre restent largement indéterminés. La deuxième observation qui nous fit percevoir les virtualités révolutionnaires sous l'apparente immobilité de Puno, c'est la perpétuelle remise en cause des *status* et des prestiges. La médisance, constante et universelle, témoigne que personne n'est à l'abri et qu'aucun principe n'est authentiquement tenu pour sûr et solide.

Aussi une observation s'est peu à peu imposée à nous : l'unification culturelle autour du modèle métis, bien loin de produire une unité sociale et politique plus forte, a des chances d'aviver les tensions sociales, et de rendre plus explosive la situation politique. Nous nous contentons trop souvent d'affirmer que le principe de l'intégration sociale réside dans la participation à un même système de valeurs. Les gens s'entendent-ils mieux, coopèrent-ils mieux, s'ils sont en gros d'accord sur quelques principes, s'ils adhèrent à quelques images ou stéréotypes communs ? La réponse à cette question est douteuse. Il faut voir d'abord que ces principes ou ces images ne touchent qu'indirectement la vie quotidienne. Mais surtout, en proposant comme désirables les mêmes récompenses et les mêmes biens à tous les individus, un système de valeurs communes risque de les lancer dans une guerre de tous contre tous. On dira qu'il réglemente l'accès aux zones valorisées. Mais l'établissement de contrôles efficaces est d'autant plus difficile que le volume de la demande est plus important, et surtout que la concurrence est plus intense entre les demandeurs.

Cette analyse s'applique à la lettre quand les valeurs économiques sont tenues comme fins ultimes. Mais alors même que celles-ci ne sont pas quantifiables, la situation n'est pas radicalement changée puisqu'en tout cas l'accès de nouveaux venus aux zones privilégiées suscite la résistance des anciens occupants. Disons que la concurrence sous ses diverses formes est d'autant plus intense entre les membres d'une société, que les enjeux étant les mêmes pour tous, leur rareté relative et, par conséquent, leur valeur s'accroît. C'est un phénomène de ce genre qu'apporte avec elle la culture métisse. En unifiant la société, en préparant l'ouverture d'un marché commun, elle disloque des systèmes partiels où les tensions étaient violentes mais très strictement localisées. Dans la ville même de Puno, sans qu'on puisse parler de ségrégation (et tout ce que nous avons dit montre assez que la ségrégation répugne profondément à la civilisation du Pérou contemporain), de très efficaces mécanismes d'isolement et d'éloignement permettent encore aux catégories que nous avons énumérées, une coexistence sans cohabitation. Les conflits entre Indiens et *misti,* en revanche, sont âpres et ouverts, lorsqu'est en cause la possession de terres. Mais jusqu'à ces toutes dernières années, les conflits manifestaient une tendance remarquable à se localiser et à se particulariser. Les *sublevaciones* [4] (jacqueries) étaient des accès très violents, mais peu coordonnés, des crises, au sens clinique du mot. Nous n'oublions pas que des tensions violentes se manifestaient à l'intérieur de chaque système partiel : les conflits entre les propriétaires fonciers et leurs Indiens ne doivent pas nous faire négliger les luttes entre les chefs militaires, les rivalités quasi féodales entre les grandes familles. Mais le système total se trouvait au bout du compte peu affecté : ces accidents n'en concernaient qu'un aspect à la fois, et jamais la totalité. Ce que prépare l'avènement du Métis, c'est, par l'imposition progressive d'un modèle culturel unifié, une situation où les conflits ne pourront plus être localisés par un mécanisme de cloisons étanches, qui circonscrivent les foyers d'incendie, mais mettront en cause la répartition du pouvoir et du prestige simultanément et à tous les niveaux. Arrêtons-nous sur cette prédiction : elle résume, en les prolongeant, nos observations précédentes puisqu'elle souligne le caractère explosif de la culture métisse, dont nous avons tâché de montrer l'indiscutable prédominance.

---

4. Les dernières remontent aux années 1930.

Invocations de l'ethnicité et imaginaire sociopolitique au Mexique [1]

José Luis Escalona Victoria *

La crise de l'État

La formation de l'État au Mexique a été un facteur central dans l'institution des identités collectives, en particulier dans sa relation avec la « création » de la Nation. Dans ce processus ont aussi pesé – et souvent en sens contraire – la transformation des processus productifs, l'expansion des réseaux du marché et de la migration économique, la formation de réseaux de « solidarité » et d'échange transnational (comme ceux qui ont été créés par les Églises et les organisations non gouvernementales) et les dynamiques démographiques. Il faudrait mentionner les multiples réponses locales à ces forces. La formation de l'État a impliqué une reconfiguration des relations dans l'espace « national » et dans la production de formes de solidarité et d'organisation multiples et changeantes au cours du XXᵉ siècle. Elles ne se sont pas seulement exprimées dans la manipulation que le Parti révolutionnaire institutionnel a effectuée des groupes et des identifications des « paysans », « indigènes » et « ouvriers », mais aussi dans les nombreuses formes de contestation, mobilisation et rébellion contre le régime, qui ont utilisé (et continuent à le faire) les mêmes formes institutionnalisées de représentation de l'ouvrier, du paysan et de l'indigène. La construction de l'État peut donc être considérée comme un processus culturel qui a impliqué la formation de « subjectivités [2] » ; on peut le voir dans l'importance sociale et politique acquise

* José Luis Escalona Victoria est professeur-chercheur dans l'unité « Sureste » du CIESAS (San Cristóbal de las Casas).

1. Une version préliminaire de ce texte a été publiée dans la revue *Liminar, Estudios sociales y Humanísticos* du département des sciences sociales et humaines de l'université du Chiapas, en 2005. On en publie ici une version remaniée.

2. Gilbert Joseph & David Nugent, 1994, "Popular culture and state formation in revolutionary Mexico", dans Gilbert Joseph & Daniel Nugent (dir.), *Everyday forms of state formation. Revolution and the negotiation of the rule in modern Mexico*, Duke University Press, 1994, pp. 1-23.

par les catégories « paysans », « ouvriers » et « secteurs populaires » ou encore dans celle de « Nation », « métis », « indigène », ou « culture nationale [3] ». En conséquence, si le modèle de l'État-nation surgi de la Révolution mexicaine (avec ses pratiques institutionnalisées et ses discours idéologiques) traverse une étape que l'on qualifie de « crise [4] », quelle est la dynamique de production des représentations collectives ou catégories identitaires ? Peut-on s'attendre à d'importants changements dans la production des identités dans le Mexique contemporain ?

Ce travail propose d'examiner certaines tendances de la dynamique associées à l'ethnicité, à partir de deux expériences de recherche dans des régions comptant une importante présence indigène : le Michoacán et le Chiapas. Il s'agit d'une analyse comparée de la construction de l'ethnicité ayant pour objectif de reformuler la question. L'ethnicité – de même que la Nation – est un produit de l'imaginaire sociopolitique mexicain, lié à l'agencement des relations dans l'espace national et à la formation des frontières de la communauté politique. L'évocation de l'ethnicité est donc plus une manière d'instituer des groupes et des identités dans un contexte de luttes politiques dans cet espace, plutôt que l'expression d'héritages culturels ou linguistiques.

L'ETHNICITÉ COMME INVOCATION

L'ethnicité est analysée en tant que « représentation discursive », « rituelle et symbolique », c'est-à-dire aussi comme un langage. Ces expressions de l'ethnicité constituent une forme d'« invocation à la mobilisation collective » qui implique des processus de manipulation des représentations.

L'ethnicité est aujourd'hui principalement une variante de ce qu'Anderson a appelé les « communautés imaginées ». C'est une manière de créer – représenter, imaginer – un sens de la communauté, c'est-à-dire de créer des liens et des continuités dans l'espace et dans le temps, dans un contexte social hétérogène. Cette « représentation » s'exprime dans des discours sur l'authenticité, l'originalité et la différence d'une collectivité particulière disposant d'un supposé héritage culturel commun [5]. Plusieurs de ces discours ont recours à la construction de récits sur l'histoire et l'identité culturelle, ainsi qu'à d'autres technologies comme l'école, la langue, le musée et le recensement – en utilisant un sens relativiste et essentialiste de la culture et de l'histoire. Il ne s'agit

---

3. Bartra propose que la production du mythe national, accélérée par la révolution mexicaine, a eu besoin de l'idée raciale du métissage et a constitué le « Métis » en « sujet national ». Roger Bartra, « La venganza de la Malinche : hacia una identidad postnacional », dans Serge Gruzinski *et al.*, *México : Identidad y Cultura Nacional*, UAM-X, Mexico, 1994, pp. 61-68.

4. *Ibid.* Luis Villoro, *Estado plural, pluralidad de culturas*, Paidós-UNAM, Mexico, 1998. Miguel Alberto Bartolomé, *Gente de costumbre, gente de razón. Las identidades étnicas en México*, Siglo XXI-INI, Mexico, 1997.

5. « ... sur le sentiment subjectif des participants d'appartenir à une même communauté », écrit Max Weber. « Comunidades étnicas », dans *Economía y sociedad*, FCE, Mexico, 1964 [1922].

pas seulement d'une représentation verbale. Certains travaux ont souligné, par exemple, les modalités par lesquelles certaines « pratiques rituelles » ou certains « symboles » sont employés pour représenter une identité ethnique, comme dans le cas du « nouvel an purhépecha [6] ». Il s'agit alors d'un discours sur l'authenticité et la différence produit par des symboles et des procédés rituels – un autre sens de la « représentation collective [7] ».

Cette représentation prend en outre place dans un contexte où existent un ensemble de significations et de sens partagés ; son efficacité provient en partie de sa capacité à interpeller les individus et les collectivités pour « faire sens ». Cependant, « les significations sont multiples et se partagent de façon inégale «. Ce n'est pas un consensus sur le sens qui se produit, mais un langage commun avec des significations multiples et manipulables. Lomnitz a proposé la notion de « culture des relations sociales », qu'il caractérise comme un « langage [8] » qui n'a de sens que pour certains groupes, étant donné que son invocation fait référence, de manière sélective, à certaines expériences historiques particulières.

---

6. Andrew Roth Seneff, « Región nacional y la construcción de un medio cultural. El Año Nuevo P'urhépecha », *Relaciones*, n° 53, 1993, pp. 241-272. Eduardo Zárate, *Los señores de utopía. Etnicidad política en una comunidad purhépecha*, Colmich-CIESAS, Zamora, 1993, pp. 31-53. Eduardo Zárate, « La fiesta del año nuevo purhepecha como ritual político. Notas en torno al discurso de los profesionistas indígenas Purh'epechas » dans Andrew Roth y José Lameiras (dir.), *El Verbo Oficial*, Colmich-ITESO, Zamora, 1994. Un autre exemple est fourni par Redfield avec la célébration de l'Altepe-ilhuitk dans les années 1920 à Tepoztlán (Morelos). Cette fête fait revivre la gloire passée du village par une sorte de représentation théâtrale dans laquelle un homme joue le rôle du « Tepozteco » et défend le village contre ses voisins. Robert Redfield, *Tepoztlan. A Mexican Village. A Study of folk life*, The University of Chicago Press, Chicago et Londres, 1973 [1930].

7. Roth propose que certaines conditions historiques de production d'une subjectivité (ethnicité) produisent un véritable style d'imaginer. Dans le nouvel an purhépecha, il s'agit de : un espace géographique contigu, un groupe de lettrés qui se mobilise au niveau « extra-local » et l'existence dans les communautés d'une structure culturelle de réalisation personnelle à travers des tâches collectives (charges) et de collaboration réparties en fonction du lieu de vie (Roth, 1993, *op. cit.*). J'ajouterais un élément supplémentaire, relatif à l'objectivité du groupe : l'utilisation d'une langue spécifique, malgré ses variantes. En effet, la représentation implique une relation entre la représentation discursive et certaines conditions « d'objectivité » du groupe invoqué. Pierre Bourdieu, *¿Qué significa hablar?*, Akal, 1985, p. 91.

8. De nombreuses définitions du groupe et de l'identité ethnique sont basées sur « l'objectivité » d'une culture commune, critère important que l'on relie aux aspects cognitifs et affectifs qui participent à l'identité ethnique. Guillermo Bonfil puis Miguel Bartolomé soulignent l'existence d'une scission entre deux matrices culturelles, fondement de la différenciation entre les Indiens, le « Mexique profond », et la *gente de razón*. L'ethnicité consiste à assumer un héritage culturel. Néanmoins, le fait de partir de ce critère pour étudier l'ethnicité en revient à partir du discours d'ethnicité lui-même, sans explorer les conditions et les implications de sa production. Guillermo Bonfil, *México profundo. Una civilización negada*, Conaculta-Grijalbo, Mexico, 1990 [1987]. Miguel Bartolomé, 1997, *op. cit.*

Il convient enfin de souligner que l'invocation de l'ethnicité est liée aux usages actuels de ce discours, à sa manipulation, spécialement dans le cadre de la mobilisation et de la contestation dans des contextes sociaux de négociation et de lutte [9]. Dans un sens, l'intérêt de Barth pour le thème des frontières de l'ethnicité est lié à la production de l'ethnicité dans un contexte de confrontation puisque l'ethnicité est le produit de la rencontre avec les autres et de l'établissement des différences. Cet auteur n'a néanmoins pas relié cette problématique aux relations de pouvoir.

L'ethnicité n'est un attribut intrinsèque ni de la langue, ni de la culture, ni de l'histoire des groupes sociaux ; bien au contraire, elle est produite dans le cadre de la compétition actuelle pour la mobilisation et la représentation du monde social en utilisant certains langages et certaines technologies de l'identité de façon sélective, dans les marges de ce que l'on pourrait nommer « le champ de l'imaginaire ». Au Mexique, la différentiation Indien/non-Indien et son utilisation dans certains récits sur les sources de la nation et de ses groupes sociaux et culturels, ont joué un rôle fondamental. L'invocation contemporaine de l'ethnicité est une conséquence de l'histoire longue de l'imaginaire sociopolitique et de ses composantes centrales. L'ethnicité, en tant que représentation, est une invocation « profonde » de cet imaginaire au Mexique ; elle est réalisée dans le but de générer une collectivité mobilisée pour légitimer des positions politiques actuelles fondées sur l'idée d'un droit évident à la particularité et à la différence. En ce sens, le discours n'est pas issu d'où il prétend provenir – la particularité culturelle en question – mais de l'entrelacement des luttes de pouvoir contemporaines. L'ethnicité se déploie donc comme une idéologie pragmatique [10]. La production de l'ethnicité est donc liée au champ de l'imaginaire, dans lequel les représentations de « l'indianité » et de la « nation » occupent une place très importante ; pour cela, il convient de l'examiner depuis le temps long du champ de l'imaginaire sociopolitique.

L'IMAGINAIRE EN TANT QUE CHAMP

La formation de l'État et de la nation a provoqué un débat sur le dénommé « problème indigène », dans lequel l'image de « l'indianité » a été déterminante. « Ethnie, nation et État » constituent ainsi les éléments d'un même champ,

---

9. Villoro parle « d'image compensatoire » ou d'identité comme « idéologie » (Villoro, 1998, *op. cit.*, p. 69). Nugent et Alonso explorent l'identité comme un déploiement stratégique de la mémoire historique, dans une situation de lutte politique (Daniel Nugent & María Alonso, "Multiple selective traditions in agrarian reform and agrarian struggle: popular culture and state formation in the ejido of Namiquipa, Chihuahua", dans Gilbert Joseph y Daniel Nugent, *op. cit.*, pp. 209-246). Bartra se réfère à l'usage du mythe de la mexicanité comme une idéologie : « Les valeurs culturelles ne sont pas, en elles-mêmes, des artefacts idéologiques ; mais quand elles sont manipulées dans cette perspective, elles peuvent conduire la pensée nationaliste sur des chemins pervers », Bartra, 1994, *op. cit.*

10. Paul Friedrich, "Language, Ideology, and political economy", *American anthropologist*, 91(2), juin 1989, pp. 295-312.

celui de l'imaginaire politique ou des représentations collectives. La lutte pour leur définition est une véritable dispute sur la représentation du monde social. Dans la dynamique du champ, des images diverses et même contrastées de l'ethnicité ont été construites à différents moments historiques et depuis différentes positions dans la hiérarchie de l'autorité intellectuelle – dotée d'une autorité de représentation. Le processus de représentation et d'imagination reproduit et actualise l'opposition indigène/non-indigène, une constante instituée dans l'imaginaire sociopolitique ; les producteurs de l'imaginaire les plus représentatifs de cette histoire recourent à cette distinction comme une dichotomie inscrite dans les mentalités et dans les interactions, au moins depuis la fin de l'époque coloniale.

Cependant, la construction des représentations de l'ethnicité est passée par diverses étapes qui s'entrecroisent, se nourrissent mutuellement et alimentent les luttes pour la représentation du champ de l'imaginaire. Plusieurs éléments, qui peuvent être considérés comme les images dominantes de l'ethnicité à différents moments historiques, seront ici suggérés. Entre la période postcoloniale et la Révolution, l'image de l'indianité s'est surtout référée à la différentiation Indien – *ladino* fondée sur une idéologie raciale. Après la révolution, on a commencé à instituer une image de l'ethnicité basée plutôt sur l'idée de « culture ». Et enfin, dans les trente dernières années du XXe siècle, une nouvelle conception de l'ethnicité semble en construction, essentiellement comme une identité et surtout comme une identité politique [11]. Il n'est pas étonnant qu'au Mexique, le débat sur le concept de *groupe ethnique* se soit développé surtout pendant cette dernière période, avec la publication en espagnol des œuvres de Barth [12], de Cardoso de Olivera [13], ainsi que les propositions de Bonfil [14] et de Bartolomé [15] ; dans cette perspective, on peut aussi inclure, en partie, le débat sur « la faillite politique de l'anthropologie » et la formation de l'« anthropologie critique [16] ».

Représentations du XIXe siècle

Avant le XIXe siècle, des termes comme *ladino* ou *gente de razón* étaient utilisés pour désigner des Indiens qui acquéraient des caractéristiques espagnoles, en particulier la langue ; ils n'avaient donc de connotation

---

11. Nous suivons la proposition de Wolf sur la continuité entre les idées de race, culture et identité. Eric Wolf, "Perilous ideas. Race, culture, people", *Current anthropology*, 1(35), février 1994.

12. Fredrik Barth, *Los grupos étnicos y sus fronteras*, Fondo de Cultura Económica, Mexico, 1976 [1969].

13. Roberto Cardoso de Oliveira, *Etnicidad y Estructura Social*, CIESAS, Mexico, 1992.

14. Guillermo Bonfil Batalla, « La teoría del control cultural en el estudio de procesos étnicos », *Papeles de la casa chata*, 2(3), CIESAS, 1987, pp. 23-43. Guillermo Bonfil Batalla, 1990 [1987], *op. cit.*

15. Miguel Bartolomé, 1997, *op. cit.*

16. Carlos García Mora & Andrés Medina (dirs.), *La quiebra de la antropología social en México* (Vol. 1 : La impugnación), UNAM, Mexico, 1983.

radicalement opposée à « l'indianité ». Cependant, ces mots sont progressivement passés vers le pôle opposé à l'indianité dans la pensée nationale. Mario Ruz, entre autres, nous parle de la catégorie *ladino* et de son acceptation dans les divers recensements réalisés entre la fin du XVIIIe et le début du XXe siècle dans la zone de Comitán, au sud-est du Chiapas. On peut y apprécier clairement le déplacement du terme *ladino* jusqu'à son identification avec celui « d'Espagnol [17] ». Meade suggère une idée similaire sur la *gente de razón* – les Indiens qui acceptèrent la vie chrétienne – qui colonisèrent les villages de Californie : leurs descendants au XIXe siècle choisirent de s'identifier comme des « Espagnols », opposant ce terme à celui d'« Indien », ce qui conduisit même certains propriétaires terriens à chercher des époux « espagnols » pour leurs filles [18]. Nugent et Alonso ont analysé un processus semblable dans le village de Namiquipa, dans le Chihuahua, qui a été fondé comme une colonie agricole de *gente de razón* pour combattre les peuples rebelles, en plein milieu d'une zone de guerre – tout comme en Californie. Après l'indépendance, leurs descendants ont également adopté l'identité d'« Espagnols », pôle civilisé face aux « Indiens barbares [19] ». Apparemment, l'opposition imaginaire indien – *ladino* a été construite lors de cette première période de la formation de la Nation et de l'État [20].

Cette différenciation des origines raciales a donné lieu à une autre dualité, relativement récente, qui oppose la civilisation à la barbarie. Dans le Chiapas, De Vos signale qu'à l'exception de certains défenseurs des Indiens, « la grande majorité des Créoles, au premier rang desquels les propriétaires terriens (*hacendados*) et les commerçants, a continué à prétendre que les Indiens

---

17. Mario Ruz, « Etnicidad, territorio y trabajo en las fincas decimonónicas de Comitán, Chiapas », dans Leticia Reina (dir.), *La reindianización de América, Siglo XIX*, Siglo XXI-CIESAS, Mexico, 1997, pp. 277-278. Ruz évoque aussi, pendant l'époque coloniale, l'intérêt des fonctionnaires, des moines, des prêtres et des propriétaires terriens pour définir qui était « Indien » (catégorie administrative), car les types d'extraction du travail et des produits dépendaient de cette définition (pp. 276-277). La notion de *baldío*, utilisée au début du XIXe siècle dans son acceptation de « terrain vague », a évolué vers une signification opposée : les habitants des terres *baldías* ont été dépossédés et convertis en *peones* (ouvriers agricoles) sur leurs propres terres avec les lois de 1848 (p. 288).

18. Teresa Meade, « Matrimonio, clase e identidad : testimonios procedentes de la frontera de la Alta California, 1770-1850 », dans Jorge Khlor de Alva *et al.* (dir.), *De palabra y Obra en el Nuevo Mundo* (Vol. 4. Tramas de identidad), Siglo XXI-Junta de Extremadura, 1995, pp. 9-24. Sur la relation entre les transactions sexuelles et l'identité ethnique et raciale, Weber écrit que la croyance dans une origine commune pourrait être basée sur l'invention de liens de parenté et de descendance. Mais c'est cette croyance qui produit en fait la communalisation : fermer les frontières, créer une solidarité politique et monopoliser le contrôle sur les relations sexuelles. La communalisation est un résultat plus qu'un antécédent. Weber, 1964[1922], *op. cit.*, pp. 315-319 et 324.

19. Nugent & Alonso, *op. cit.*

20. Certains auteurs ont transposé cette distinction à d'autres époques sans considérer les changements intervenus. Bartolomé, 1997, *op. cit.*, pp. 46-47.

étaient, de par leur nature même, fainéants et ivrognes [21] ». Florescano rappelle qu'au Mexique, au travers de différents médias de communication – presse, journal, lithographie, peinture, gravure,etc. – une campagne perverse a été menée qui « a converti les indigènes en ennemis de la Nation et leur a conféré les traits les plus brutaux et dégradants de la condition humaine [22] », spécialement en temps de guerre. Les rébellions d'alors ont été désignées avec le terme racial de « guerres de castes », et étaient considérées comme des conspirations barbares contre la civilisation. Les écrivains de l'élite de San Cristóbal de las Casas (Chiapas) ont utilisé cette même image pour évoquer, deux décennies après qu'elle ait eu lieu, la rébellion de Chamula de 1869, lors de leur plaidoirie infructueuse pour que la capitale de l'état demeure à San Cristóbal [23].

Mais, à l'arrière-plan des images des indigènes liées à la barbarie et à la permanence, les communautés vivaient de grandes transformations. Dans le cas du Chiapas, De Vos suggère que le XVIe et le XIXe siècle ont été des conjonctures critiques dans la configuration de l'identité ethnique, du fait des changements vécus par les communautés indiennes pendant ces deux périodes [24]. Wasserstrom souligne que c'est au XIXe siècle que le système des charges a été construit dans la communauté de Zinacantán ; de la même manière, il rapporte comment l'instauration du système des « patrilignages » dans cette communauté est le résultat des changements démographiques et économiques qui ont eu lieu pendant ce siècle [25]. Les deux phénomènes semblent être des réponses à un même phénomène historique : le retrait de l'Église catholique, la menace sur les terres des confréries et des communautés, la migration des *ladinos* vers les communautés indigènes et l'expansion des grandes fermes (les *fincas*). D'autres villages avec une importante présence indigène et situés dans les zones plus attractives pour l'agriculture commerciale furent repeuplés et devinrent des villes *ladinas*, comme dans le cas de Comitán au début du XIXe siècle, de Soyatitán et Teopisca à la fin de ce dernier, tous situés dans les marges de la région des *Altos* et proches des vallées au fort potentiel agricole.

Dans le centre du Chiapas, à la fin du XIXe siècle, avec la perte de l'influence de l'Église (consécutive aux réformes libérales des années 1850), la formation de l'État-nation ainsi que l'expansion du marché, de nombreux éléments de l'imaginaire, tels que l'usage de la distinction Indien – *ladino* ou du terme *gente de razón*, ont été actualisés par la transformation des

21. Jan De Vos, *Vivir en Frontera*, CIESAS, Mexico, 1994, pp. 158-159.

22. Enrique Florescano, *Etnia, Estado y Nación. Ensayo sobre las identidades colectivas en México*, Aguilar, Mexico, 1996, p. 22.

23. Jan Rus, « ¿Guerra de castas según quién? Indios y ladinos en los sucesos de 1869 » dans Juan Pedro Viqueira & Mario H. Ruz (dir.), *Chiapas, los rumbos de otra historia*, UNAM – CIESAS – CEMCA – UdG, Mexico, 1995, pp. 145-174.

24. De Vos, *op. cit.*

25. Robert Wasserstrom, *Clase y sociedad en el centro de Chiapas*, FCE, Mexico, 1989 [1983].

champs de pouvoir [26]. Pour cette raison, de nombreux auteurs suggèrent qu'il y a eu une refonctionnalisation de la différenciation ethnique dans le contexte de la production émergente du café, des bois précieux et autres produits commerciaux [27]. Dans les alentours de Comitán, les *fincas* ont été les unités sociales dominantes au sein desquelles les relations de patronage – servitude ont été étroitement liées à la différence *ladino* – Indien [28]. C'est aussi dans ce contexte de reconfiguration qu'a surgi un « indigénisme » parmi les élites régionales qui perdaient leur position dominante face aux nouveaux planteurs qui recrutaient eux aussi la main-d'œuvre des *Altos* [29]. La différence Indien – *ladino* a alors resurgi dans les relations de servitude agraire de la *finca* [30] ; mais aussi dans la relation entre le gouvernement et les communautés indiennes, notamment avec la mise en place de nouvelles politiques foncières et le recrutement d'une main-d'œuvre saisonnière pour la récolte du café [31]. Cette différenciation a constitué un vecteur des interactions à l'intérieur des villages et entre ces derniers, ainsi que dans les *fincas* ; dans cette structuration, l'indianité a été construite, dans la pratique, comme le pôle subordonné et en même temps complémentaire du *ladino*.

Dans le cas du nord-ouest du Michoacán, la situation était semblable, bien que l'impact de l'expansion du marché ait été plus direct que dans le centre du Chiapas. Entre la fin du XIXe et le début du XXe siècle, les zones de cultures commerciales ouvertes ou étendues grâce à l'assèchement des lacs de Chapala et de Zacapu ont été l'expression la plus visible des changements produits par l'expansion du marché, associée à l'accentuation de la dépossession des terres des communautés. La présence de l'Église et des formes de patronage et de servitude furent, de la même manière,

---

26. « Le concept de "champ de pouvoir" permet d'identifier un champ multidimensionnel de relations sociales qui définissent les positions spécifiques des sujets (…) au travers desquelles les sujets établissent des relations, individuelles et collectives, avec d'autres sujets, institutions et agences qui font partie du champ » William Roseberry, « Cuestiones agrarias y campos sociales », dans Sergio Zendejas et Pieter de Vries, *Las disputas por el México Rural* (Vol. 1 : Actores y campos sociales), Colmich, Zamora, 1998, pp. 73-97.
27. Henri Favre, *Cambio y continuidad entre los mayas de México*, INI-Conaculta, Mexico, 1992 [1971]. Jan de Vos, *op. cit.* Antonio García de León, *Resistencia y utopía. Memoria de agravios y crónica de revueltas y profecías acaecidas en la Provincia de Chiapas durante los últimos quinientos años de su historia*, ERA, Mexico, 1985.
28. Ruz interprète ce fait comme une preuve de la préservation d'une identité ethnique dans le système des *fincas*. Ruz, 1997, *op. cit.*, p. 276.
29. García de León, *op. cit.*, pp. 185-187. Vicente Pineda, Flavio Antonio Paniagua, Manuel Pineda et d'autres (…) parlaient alors au nom de « leurs Indiens » pour préserver leur indianité, protéger leurs *ejidos* des assauts du capitalisme, leur permettre de parler leurs langues, et les reléguer dans les activités agricoles commercialement élémentaires ou d'autoconsommation. Il était préférable qu'ils demeurent des paysans qui fournissent en fruit San Cristóbal plutôt que de les laisser être atteints par une irrémédiable prolétarisation (*ibid.*, p. 186).
30. *Ibid.*, pp. 122-130. Jan De Vos, *op. cit.*, pp. 167-178.
31. Henri Favre, *op. cit.*, pp. 63-81. Wasserstrom, *op. cit.*, pp. 133-163. García de León, *op. cit.*, pp. 147-172. De Vos, *op. cit.*, pp. 160-178.

l'axe du nouvel ordre social institutionnalisé [32], ainsi que des relations entre Indiens ou *naturales* et Blancs ou *gente de razón* [33]. Des régions telles que la *Cañada de los once pueblos* (territoire habité principalement par une population parlant le purhépecha) ont vécu d'importants changements. Quelques années auparavant, les fermiers (*rancheros*), commerçants et usuriers ont commencé à élire domicile dans le chef-lieu municipal; à la fin du XIXe siècle, beaucoup habitaient aussi dans les autres villages de la région [34]. Parallèlement, certaines terres communales passèrent, en peu de temps, aux mains des particuliers; il s'agissait des terres les mieux irriguées, où furent par exemple installés des moulins à eau pour le blé (principale production de la région).

Dans certains cas, les fermiers, ou, à Chilchota, l'élite des propriétaires, des diplômés et des bureaucrates sont parfois même devenus représentants des biens communaux. Certains documents révèlent une transaction menée par le « représentant » de « l'ex-communauté indigène » avec un particulier pour la vente d'arbres situés sur le territoire des « biens communaux ». Dans les mêmes dossiers, on trouve encore des documents de vente, bail, et de « rétrovente » – c'est-à-dire l'appropriation à la suite d'un prêt non honoré [35] – des biens communaux dans tous les villages de la *Cañada* et des vallées voisines. On découvre également des cas où les titulaires de ces biens contestent des ventes illégales. Dans un autre village de la *Cañada*, Etúcuaro, les fermiers sont devenus représentants officiels des biens communaux devant la bureaucratie gouvernementale [36].

Les « représentants » légaux des propriétés communales étaient, pour la bureaucratie, les fondés de pouvoir qui pouvaient négocier la division des terres; à l'inverse, dans certains villages, ils ont été les défenseurs des biens communaux. L'indianité apparaît alors comme un discours produit par les groupes dominants locaux et régionaux pour contrôler la répartition des terres et les ressources des communautés indigènes, en compétition avec les propriétaires terriens des vallées contiguës. Il semble que ces derniers « préservaient » moins l'indianité des villages – pour maintenir des formes d'extraction du travail et des ressources, comme dans le Chiapas central étudié

32. Sur la relation entre imaginaire religieux, relations de clientèle et ordre social dans la *hacienda,* on peut consulter le travail d'Uzeta sur la Hacienda de Santa Ana Pacueco, Guanajuato. Jorge Uzeta Iturbide, *El diablo y la santa. Imaginario religioso y cambio social en Santa Ana Pacueco, Guanajuato*, Colmich, Zamora, 1997.

33. José Luis Escalona, *Etúcuaro, la reconstrucción de la comunidad. Campo social, producción cultural y Estado*, Colmich, Zamora 1998, pp. 45-56 et 89-95.

34. Moisés Sáenz, *Carapan: Bosquejo de una experiencia*, Librería e Imprenta Gil, Lima, 1936. Manuel Jiménez Castillo, *Huáncito, organización y práctica política*, INI, Mexico, 1985.

35. *Ibid.*

36. Escalona, 1998, *op. cit.*, pp. 105-116 et 153-159.

par García de León – qu'ils ne l'usurpaient, pour s'approprier les ressources des villages, devenus légalement des « ex-communautés indigènes [37] ».

REPRÉSENTATIONS POST-RÉVOLUTIONNAIRES

Depuis les « réformes bourboniennes », et particulièrement depuis la deuxième moitié du XIXe siècle, diverses tentatives pour déplacer cette configuration de relations socio-économiques furent faites, promouvant une conception libérale de l'individu, la fin de la servitude agraire et la séparation des pouvoirs civils et religieux [38]. Cependant, ce ne fut qu'avec la création de l'État-nation postrévolutionnaire que de nombreux changements purent être consolidés. La réforme agraire et l'indigénisme ont pesé de façon décisive en ce sens. Les gouvernements ont promu différents projets d'intervention sur les relations préexistantes pour les éliminer ou les transformer progressivement. Ces aspirations ont été concrétisées par les missions culturelles, les internats indigènes, la station expérimentale pour l'intégration de l'Indien de Moisés Sáenz dans la *Cañada de los once pueblos*, le premier centre coordinateur indigéniste dans la région des *Altos* du Chiapas.

Au XXe siècle, le choc entre les anciennes et les nouvelles configurations des relations sociales a été consigné dans de nombreux travaux ethnographiques. Aguirre Beltrán, par exemple, a souligné le rôle des secrétaires municipaux *ladinos* dans le contrôle des municipalités de la région des *Altos* du Chiapas et dans l'exploitation du travail et des échanges commerciaux. Il fallait rompre ce contrôle, grâce à la formation de lettrés (*escribanos*) [39]. Sáenz, dans le récit de son expérience dans la station expérimentale de Carapan au Michoacán, offre une image des confrontations entre les « agraristes » (qui étaient en principe des partisans fidèles des politiques du gouvernement en faveur de la répartition agraire et de l'éducation) et ceux qu'il définit comme des « fanatiques », fidèles à l'Église catholiques et prisonniers des traditions indigènes les plus rétrogrades comme l'analphabétisme et l'alcoolisme [40].

---

37. Cette indianité est identique à celle qui a été produite à Tepoztlán au même moment. Depuis l'époque coloniale, des personnes de « sang espagnol » y vivaient ; elles étaient les intermédiaires, dans les termes de Redfield, entre la culture locale et la culture européenne. À la fin du XIXe siècle, la famille Rojas, descendante de ces familles « espagnoles », a eu une influence importante sur l'Église, l'école et les médias écrits, et a motivé la création d'une académie de nahuatl. Redfield, 1973 [1930], *op. cit.*, pp. 209-213.

38. L'organisation en 1896 d'un congrès agricole à Tuxtla (nouvelle capitale du Chiapas), pour réexaminer l'opportunité économique du régime de la servitude, en fournit un exemple. García de León, 1985, *op. cit.*, pp. 165-172. De Vos, 1994, *op. cit.*, pp. 176-177.

39. Gonzalo Aguirre Beltrán, *Formas de gobierno indígena*, INI, Fondo de Cultura Económica, Mexico, 1991 (1953), pp. 119-121.

40. Sáenz, 1936, *op. cit.*, pp. 28, 255-276. Redfield se réfère quant à lui à la différenciation entre les « corrects » et les « idiots » (*tontos*). Redfield, 1973[1930], *op. cit.*, pp. 209-213.

Ces travaux supposaient que l'opposition Indien – *ladino* n'était pas fondée sur une différence raciale, mais essentiellement « sociale » et « culturelle ». Dans plusieurs ethnographies sur les communautés du Chiapas, la différenciation Indien – *ladino* est décrite en termes d'opposition socioculturelle : les premiers sont présentés comme des ruraux, illettrés, de faible niveau scolaire, aliénés par la tradition, rétrogrades et pauvres. Certains anthropologues se sont intéressés aux possibles connexions entre ces peuples et les anciens Mayas – suggérant que l'origine de ces peuples renvoyait à un modèle culturel pré-hispanique. À l'inverse, les *ladinos* sont plutôt décrits comme des urbains ou habitants de grands villages, diplômés disposant d'un bagage scolaire, jouissant d'une position économique avantageuse, et liés à la « culture européenne occidentale [41] ».

La perception des communautés purhépechas au Michoacán était distincte. Selon Beals, beaucoup d'aspects de la culture indigène semblaient provenir d'une variante du modèle apporté par les Espagnols au XVIe siècle, particulièrement les éléments de la culture matérielle et de l'organisation sociale. Cependant, il considérait que les bases de la culture spirituelle étaient autochtones en général. Beals soulignait en outre qu'à Cherán, communauté de la Meseta Tarasca, la différenciation Indien – *ladino* n'était pas aussi significative qu'ailleurs, car il s'agissait d'un village ouvert et progressiste, à la différence de Pátzcuaro qui était dans les années 1940 une ville *ladina* qui idéalisait son passé colonial – même si elle avait la catégorie de « ville d'Indiens » du temps de la Colonie [42].

Les anthropologues se sont prononcés de diverses façons en faveur du dépassement de la situation grâce à « l'acculturation », la création d'une culture nationale. Comme l'a répété maintes fois Aguirre Beltrán, il fallait briser les relations de caste et intégrer l'indigène à une société de classe. Et c'est dans ce but que diverses initiatives ont été lancées par le gouvernement : construction d'écoles, formation d'instituteurs et de diplômés indigènes, mise en œuvre de projets productifs, affaiblissement du contrôle *ladino* sur le gouvernement municipal. Les communautés étaient considérées comme progressistes quand elles paraissaient soutenir les mesures promues par le gouvernement et participaient à leur réalisation, comme dans le village de Cherán, ou parmi les agraristes de la *Cañada*, ou encore les *ejidatarios* d'Etúcuaro.

Les formes héritées du XIXe siècle et les représentations postrévolutionnaires ne sont pas toujours rentrées en conflit. Dans certains cas, les politiques agraires et indigénistes n'ont pas rompu avec la configuration sociopolitique

41. Alfonso Villa Rojas, *Etnografía tzeltal de Chiapas. Modalidades de una cosmovisión prehispánica*, Gobierno del Estado de Chiapas, Tuxtla, 1990 [1942-1946], pp. 60-75. Benjamin Colby & Pierre van den Berghe, « Relaciones étnicas en el sureste de México » dans Evon Z. Vogt (dir.), *Los Zinacantecos*, Mexico, INI, 1966.
42. Ralph Beals, *Cherán : un pueblo de la sierra tarasca*, Colmich-Instituto Michoacano de Cultura, Zamora, 1992 [1945], pp. 489-493.

précédente et s'y sont au contraire adaptées. Au Chiapas on parle par exemple d'une réforme agraire sélective qui n'a pas touché au système des *fincas* dans les zones importantes d'agriculture commerciale [43]; mais aussi d'un indigénisme qui s'est contenté de substituer les responsables du contrôle de la main-d'œuvre et du contrôle des municipalités. On mentionne même des zones dans lesquelles la « Révolution » n'avait toujours pas fait sentir son influence en plein XXᵉ siècle et où les relations de patronage ont perduré (jusqu'aux années 1950 dans le sud-est du Chiapas [44] et jusqu'aux années 1960 à Simojovel) [45]. Néanmoins, d'autres travaux soulignent les ruptures et les changements associés à la dynamique de confrontation entre les anciennes relations et représentations et celles associées au nouveau régime, qui se sont produits dans certaines communautés. Ainsi, dans de nombreuses communautés, des groupes locaux se sont formés pour soutenir l'action du gouvernement et se sont confrontés, en certaines occasions, aux groupes de pouvoirs locaux et aux anciennes relations socio-économiques. Le cas de Chamula, appelé par Rus la « communauté révolutionnaire institutionnelle », est un exemple de ce processus [46]. L'apparente continuité et la défense de la tradition qu'on y proclame contrastent avec le changement du groupe au pouvoir au cours du XXᵉ siècle. Wasserstrom suggère une idée similaire dans le cas de Zinacantán [47].

Dans le nord-ouest du Michoacán ces tensions se sont apparemment produites plus tôt, entre les années 1920 et 1930. Il faut peut-être y voir une conséquence de l'importance qu'ont acquise les réseaux politiques régionaux et les mobilisations agraires dans la région – en particulier près de Zamora et Zacapu – préalables à la formation de réseaux et mobilisations plus vastes, comme la Ligue des communautés agraires et le cardénisme lui-même. C'est également dans cette région que s'est développée la mobilisation *cristera*, un mouvement qui s'opposait aux nouvelles orientations du régime, parmi lesquelles l'agrarisme, l'éducation publique et l'anticléricalisme. Ceci a déclenché un important déploiement de la violence d'État qui a été relayée et prise dans les conflits locaux préexistant. Plus tard, la région purhépecha a vu l'installation de centres de formation de diplômés dans

---

43. García de León, *op. cit.* María Eugenia Reyes Ramos, *El reparto de tierras y la política agraria en Chiapas 1914-1988*, Mexico, UNAM, 1992.

44. Mario Ruz, *Los legítimos hombres. Aproximación antropológica al grupo tojolabal* (tome II), UNAM, Mexico, 1983.

45. Sonia Toledo Tello, *Historia del movimiento indígena en Simojovel. 1970-1989*, UNACH, Tuxtla, 1996.

46. Jan Rus, "The 'Comunidad Revolucionaria Institucional': the subversion of native government in highland Chiapas, 1936-1968" dans Joseph & Nugent, *op. cit.*, pp. 265-300.

47. Wasserstrom, *op. cit.* D'autres auteurs analysent les changements résultant de l'expansion du marché. Artís et Coello mentionnent le passage d'une économie naturelle à une économie commerciale simple dans la zone chol et son impact sur l'organisation du travail, la propriété de la terre et les rites cérémoniels. Ils décrivent une « intégration sans indigénistes ». Gloria Artís et Manuel Coello, « Indigenismo capitalista en México », *Historia y sociedad*, 2ᵉ époque, n° 21, 1979, pp. 53-73.

une perspective indigéniste pour le développement des communautés, tels que le centre coordinateur indigéniste de Cherán et le CREFAL (centre de coopération régionale pour l'éducation des adultes en Amérique latine et dans les Caraïbes) à Pátzcuaro.

Ainsi, au XXᵉ siècle, la construction de l'État, la « fabrique » de la nation – comme nation métisse – et les nouvelles dynamiques de l'expansion du marché ont eu des conséquences différentes sur la vie des petites localités. Ce processus a également eu une incidence sur la reconstruction de l'indianité dans l'imaginaire sociopolitique : dans l'imaginaire dominant, l'ethnicité a été soumise au « nationalisme métis », métaphore de la subordination à l'appareil bureaucratique de l'État émergent. Le retard et l'injonction au développement deviennent des caractéristiques de cette indianité postrévolutionnaire ; pourtant, de façon contradictoire, on pense que c'est sur la base de cette culture indigène que l'on va construire la culture nationale. L'indianité a été à la fois le pôle subordonné et la sève de la nation. Le dénommé « métissage » a été la formule argumentative pour résoudre cette contradiction dans l'imaginaire [48]. Avec ce même modèle, on a interprété la transformation des relations et des pratiques locales, faisant surgir des discours locaux sur le progrès et le métissage [49].

CONDITIONS ÉMERGENTES

Il n'est pas difficile de trouver des explications aux événements survenus dans le Chiapas en 1994 qui fassent appel à l'argument de la « rébellion indigène », amplement conforme aux paramètres de l'imagination sociopolitique. Cependant, une analyse détaillée de « l'indianité » actuelle pose plus de questions qu'elle n'apporte de réponses car la forme et les espaces où se produit l'ethnicité ont changé par rapport aux périodes précédentes. Comme nous l'avons déjà signalé, jusqu'aux années 1970 l'histoire de l'imaginaire sociopolitique a principalement été dominée par la dynamique de la confrontation entre les représentations – médiations du XIXᵉ siècle et celles qui ont émergé après la Révolution mexicaine. C'est dans ce contexte que se sont formées des organisations de « paysans », d'« ouvriers agricoles », et, plus tard, d'« indigènes », demandeuses de

---

48. Le métissage, écrit Bartra, est un canon de la culture occidentale depuis plusieurs siècles. « Cette façon de simplifier les processus de transculturation, d'acculturation, de conquête ou de syncrétisme dans la notion unitaire de métissage est une nécessité de la société moderne pour établir l'unification du sujet national. » Bartra, 1994, *op. cit.*, p. 64.

49. Redfield analyse ces changements à Tepoztlán en s'inclinant en faveur de la solution du métissage : « Le bilinguisme de la population reflète la balance équilibrée des éléments culturels indiens et européens ; la culture n'est ni aborigène, ni espagnole, mais une intégration des deux – elle est mexicaine. Les habitants de Mexico, en général, sont le produit de ces deux héritages. Mais à Tepoztlán (…) la communauté elle-même est le produit de cette fusion. » Redfield, 1973[1930], *op. cit.*, p. 30. À Etúcuaro, certains habitants parlent d'une identité locale construite avec le « sang indien et le progrès » (Escalona, 1998, *op. cit.*)

terres, de services gouvernementaux et d'espaces officiels de participation. Il s'agissait de mobilisations qui invoquaient l'image dominante de l'État-Nation, tout en la réinterprétant. Le discours indigéniste a été réapproprié par les dirigeants et intellectuels « indigènes » qui l'ont utilisé comme un instrument de négociation et de contestation à l'intérieur et contre l'appareil bureaucratique. Cette appropriation discursive de l'État, de la nation et de l'indigénisme ne s'est pas seulement déroulée à l'intérieur de l'appareil bureaucratique, ni dans les cercles intellectuels, mais aussi, de plus en plus, dans les réseaux et organisations identifiées comme d'opposition, et, plus récemment, dans certaines ONG et Églises (en particulier l'Église catholique). Tout ceci est lié à d'autres processus.

Depuis la décennie des années 1960, la présence de l'État et du marché s'est modifiée dans le monde rural, au travers des grands travaux hydrauliques dans les cas du Chiapas et du Michoacán. Dans le Chiapas, la prospection pétrolière et la colonisation de la jungle se sont développées parallèlement. Le marché de la production agricole s'est également étendu ; le café dans le Chiapas, l'avocat et la fraise dans le nord-ouest du Michoacán. Enfin, les dynamiques de migration économique vers d'autres régions – du sud-est vers le centre, et du centre vers les États-Unis – et de croissance des services touristiques – avec des projets comme la « route maya » – se sont intensifiées.

La transformation progressive de l'État a aussi remis en question « l'indianité » dans l'imaginaire social. Depuis les années 1970, de nouveaux programmes d'action publique ont formé des intellectuels indigènes, en particulier des instituteurs bilingues participant au système d'éducation bilingue et biculturel ; ainsi, des programmes de « sauvegarde » et de « conservation » de la « culture indigène » furent créés. Cette intelligentsia indigène – en particulier les instituteurs – est devenue très importante dans le processus d'appropriation des médias de représentation et dans la lutte pour la représentation à l'intérieur et à l'extérieur de l'appareil bureaucratique. Durant la dernière décennie du XXᵉ siècle, l'État a transformé ses politiques « paysannes » et « indigènes », ce qui a contribué à son apparent éloignement des formes politiques postrévolutionnaires. À titre d'exemple, on mentionnera les réformes de l'article 27 de la Constitution et l'instauration de fidéicommis pour l'achat de terres auparavant collectives – au lieu de l'expropriation et la dotation en terres *ejidales* ; ainsi que les réformes de l'article 4 de la Constitution, les discussions autour des « us et coutumes » et l'ouverture consécutive d'espaces pour certaines pratiques considérées comme indigènes dans un cadre législatif transformé – soit encore de véritables processus de sélection de la tradition.

Dans le Chiapas, entre 1994 et 1997, le gouverneur a instauré une politique spéciale de centres culturels en zones « indigènes », différente de celle destinée aux zones « métisses ». Cette initiative cherche à promouvoir la participation directe des indigènes dans la définition des projets d'ateliers d'artisanat, de musique et de littérature, ainsi que dans la création de musées et de boutiques d'artisanat. Parallèlement, les institutions publiques locales en charge de la relation avec les « peuples indigènes » ont été revitalisées, comme le ministère des Peuples indigènes (SEPI, auparavant secrétariat d'État aux affaires indigènes), ainsi qu'une section du ministère public pour la Justice indigène. Ces institutions recherchent la participation des intellectuels indigènes. Le SEPI, en particulier, s'est dédié à travailler en premier lieu sur les « conflits intercommunautaires ». Une instance judiciaire a été reconnue à Zinacantán, les dénommés « tribunaux indigènes », sur la base de la reconnaissance de la spécificité d'un « droit indigène », lequel est supposé rechercher la conciliation plus que la punition et obtenir des accords plus efficaces que les instances judiciaires « externes ». Récemment, on a également promu la création d'universités indigènes ou interculturelles qui cherchent à répondre aux problèmes spécifiques de la population indigène.

Parallèlement, le gouvernement a dû établir des relations avec les groupes qui, à l'intérieur des municipalités indigènes, ont construit un discours sur la défense de la culture, de la « coutume » et de la « tradition ». Ce sont des groupes qui ont surgi des luttes relatives aux changements sociaux dans les trente dernières années, tant en termes démographiques et économiques que de différentiation sociale, partisane et religieuse. Dans ce contexte, les appartenances religieuses et partisanes sont devenues des moyens de négociation et de confrontation dans les communautés, ce qui a obligé les partis et les Églises à assumer à leur tour une position vis-à-vis de « la coutume [50] ». Les interprétations locales des « droits de l'homme » et des « droits indigènes », par exemple, ont fondamentalement été produites dans ce contexte de conflits et de disputes.

Ce phénomène s'est apparemment déroulé plus tôt dans le Michoacán. Depuis la fondation des Ligues de communautés agraires du Parti révolutionnaire mexicain, entre 1920 et 1940 environ, les fils de paysans ont été recrutés dans la bureaucratie locale ; leur ascension professionnelle a été facilitée par un système de bourses [51]. Actuellement, ce phénomène est encore visible parmi les instituteurs, les employés des administrations municipales et de plusieurs institutions du gouvernement d'État. De même, certaines institutions (indigénistes et agraires en particulier) sont intervenues dans la formation de groupes d'employés et de diplômés. Les programmes de sauvegarde et de promotion de la culture populaire ont également eu un impact très important sur la commercialisation de l'« artisanat », c'est-à-dire

---

50. José Luis Escalona, « Pluralismo y mediaciones : imaginario sociopolítico en Chiapas », dans Salvador Maldonado (dir.), *Dilemas del Estado Nacional*, Colmich-CIESAS, Zamora, 2001, pp. 55-75.

51. Un habitant d'Etúcuaro nous racontait comment sa vie en ville a débuté lorsqu'il était étudiant au collège *prevocacional* de l'Institut polytechnique national (IPN), grâce au contrôle qu'un groupe d'habitants du Michoacán, menés par le fils d'un dirigeant politique de la *Cañada*, exerçait sur le logement étudiant, aux côtés de groupes provenant du Sinaloa et du Guerrero. Cette histoire se répète parmi les habitants d'Etúcuaro, étudiants et diplômés, qui étudient à l'IPN, à l'université San Nicolás de Hidalgo et à la Huerta (Michoacán) et à l'université de Chapingo à Mexico (conversations avec Gildardo Rosas, mai 1995, et Jesús Hernández, juin 1995).

des marchandises dont la forme et la production imitent les objets quotidiens qui pourraient être identifiés comme « indigènes », mais qui sont produits pour être vendus sur le marché touristique ou urbain [52].

Tout ceci pourrait être vu comme une appropriation du milieu bureaucratique par ceux qui s'identifient comme des indigènes. Pourtant, à l'inverse, on ne peut pas parler d'un retrait de l'État mais d'une transformation de ce dernier, dont les compétences recouvrent désormais des aspects de la « culture » pour lesquels il n'avait pas de force régulatrice jusque-là ; nous pouvons en ce sens parler d'une étatisation de la culture. Une nouvelle objectivation de la « culture indigène » pourrait en résulter – contraire aux transformations et à la diversification que vivent les populations indigènes [53].

Les projets de revendication, de promotion ou d'exaltation de « l'indianité » ne sont pas exclusifs des espaces qui ont été ouverts dans la bureaucratie gouvernementale. Bien au contraire, les partis politiques, les organisations sociales, et les organisations gouvernementales (dont certaines sont liées à l'Église) ainsi que les institutions de recherche dans diverses disciplines se sont engagés dans une même direction pour promouvoir de nouvelles relations entre les « indigènes » d'un côté et le marché ou le gouvernement de l'autre. Par exemple, depuis les années 1980, de nombreuses organisations d'« artisans » et en particulier de « femmes artisans » ont été créées pour vendre les produits indigènes sur le marché. La plupart de ces organisations produisent une marchandise destinée au marché local, bien que certaines d'entre elles parviennent à atteindre le marché extérieur. De même, certains produits, comme le miel et le café du Chiapas, ont atteint le marché international sous le label des organisations indigènes, ce qui leur donne un impact positif sur les marchés alternatifs ou solidaires. L'image indigène a aussi facilité l'accès de ces organisations aux crédits des agences financières nationales et internationales – qui recrutent par ailleurs des « indigènes » dans leurs appareils bureaucratiques transnationaux.

Un autre exemple est fourni par la formation d'associations et des groupes d'écrivains en langues indigènes dont le travail s'est orienté vers la promotion de la langue écrite, dans un contexte jusque-là marqué par l'oralité. Des concours de poésie, de nouvelles, de littérature pour les enfants, de mythes et de légendes, de traditions, d'histoire orale et de photographie ont été organisés dans le Chiapas. La publication d'œuvres en langues indigènes et de dictionnaires a de même été promue. La production littéraire, à laquelle participent de nombreux lettrés indigènes – comme ceux qui se sont regroupés dans le Centre de langue, d'art

---

52. La production de céramique dans des villages tels qu'Ocumicho et Patambán a été recréée et actualisée dans des ateliers familiaux et dans des coopératives pour s'insérer – avec succès – sur le marché national et transnational de « l'artisanat », avec le soutien du Fond national pour les arts (**FONART**).

53. Viqueira suggère que l'un des dangers de l'institutionnalisation des « us et coutumes » est de rendre plus compliquée l'adaptation des communautés indigènes à l'évolution des conditions sociales. Juan Pedro Viqueira, « Les dangers du Chiapas imaginaire », *Esprit*, n° 259, décembre 1999, pp. 107-130.

et de littérature indigènes de l'état, créé en 1997 – a soulevé des débats sur l'«authenticité» et la « pureté » de la langue et de la culture. Dans le Michoacán, de la même manière, des organisations de sauvegarde et de promotion de la langue écrite ont été créées, dont les débats portent notamment sur l'alphabet [54].

On relève la présence d'organisations politiques « indigènes » du même genre, à l'intérieur et à l'extérieur des partis politiques, ainsi que des leaders qui sont parvenus à la présidence municipale et au parlement tant local que fédéral. Dans le Michoacán, l'Union des *comuneros* Emiliano Zapata a été formée dans la chaleur des luttes agraires des années 1970 et 1980. L'exaltation des communautés et de leur territoire a été utilisée comme un important argument pour la mobilisation et l'appropriation des terres de la région du lac de Pátzcuaro. De nombreux villages situés au-delà de cette zone ont bénéficié des activités de formation et participé aux expériences de négociation avec les centres de pouvoir bureaucratique. D'autre part, en 1983, une festivité exaltant le sentiment d'appartenance purhépecha a été créée : le nouvel an purhépecha. Cette célébration a essentiellement été organisée par des intellectuels indigènes, dont certains avaient des responsabilités administratives ou éducatives ; d'autres militaient dans des organisations ou des partis d'opposition. C'est dans ce contexte qu'est née l'organisation Nation Purhépecha, qui encourage des discussions autour de la langue, de l'histoire et des traditions [55]. Certains instituteurs et intellectuels de la région de la *Cañada* participent à cette organisation, bien que la plupart de ses membres soient des diplômés de Tzintzuntzan, dans la région lacustre [56]. La présence du Parti de la révolution démocratique (PRD) est également importante, étant donné que ce parti d'opposition a gagné la présidence de plusieurs municipes de la région. Beaucoup de ses militants (et parmi les plus actifs) sont des instituteurs et des bureaucrates. Mais dans cette dernière organisation, c'est moins l'ethnicité que le cardénisme qui rassemble. Enfin, les Églises ont recruté des indigènes dans leurs rangs : catéchistes, pasteurs, instituteurs ou prédicateurs rentrent en compétition dans un « marché de la religion » de plus en plus complexe. Dans le Chiapas, la théologie de la libération a ouvert la voie à la dénommée *théologie indienne*, dont les diacres et catéchistes assument les fonctions autrefois assumées par les prêtres. Dans le Michoacán, certains prêtres (et plus particulièrement l'un d'entre eux) se sont impliqués dans la création et l'organisation du « nouvel an purhépecha » et dans la création de la dénommée Nation Purhépecha [57].

---

54. Roth, 1993, *op. cit.* Zárate, 1994, *op. cit.*
55. *Ibid*, pp. 31-53. Roth, 1993, *op.cit.*
56. *Ibid.*
57. Dans le cas de Tarecuato, étudié par Rivera, une dispute entre le *cabildo* (organisation locale du système de charges) et la paroisse (organisation promue par l'Église) s'est ponctuellement superposée à la querelle entre partis politiques (respectivement le PRD et le PRI) et à l'organisation de la célébration du nouvel an Purhépecha. Les images des Saints sont devenues des véhicules symboliques de solidarités plus vastes. Carolina Rivera Farfán, *Nueva vida para Tarecuato. Cabildo y parroquia ante la nueva evangelización*, Colmich, Zamora, 1998.

Ainsi, plusieurs variantes du discours sur l'authenticité et la pureté, la défense et la sauvegarde de la culture, sont produites depuis diverses arènes, dans la poursuite d'objectifs variés. Il semble que l'ethnicité n'est pas définie de manière univoque et implique plutôt une fragmentation. Comment expliquer cette fragmentation ? D'un côté, les multiples processus actuels de construction de l'ethnicité impliquent une objectivation variée de l'indianité, au travers de la construction de symboles de l'ethnicité pouvant passer par une simple photographie, jusqu'à l'écriture et l'édition d'un mythe dans une variante linguistique régionale – où l'écriture de la langue est une expérience relativement nouvelle pour les habitants –, depuis une blouse brodée jusqu'à une image en série d'un saint. Aux anciens signes et média de représentation se sont superposés de nouveaux tels que l'écriture, le discours historique, la photographie, le festival public, la bureaucratie elle-même, etc. Les « indigènes » se sont approprié ces médias depuis l'appareil bureaucratique de l'État, les Églises et les ONG. À tel point qu'il semble que la production actuelle de l'ethnicité est en train d'utiliser les mêmes ressources que la fabrique de la Nation. En suivant Anderson, le texte écrit – en particulier le roman et les journaux –, l'histoire et la langue, ainsi que le parcours dans la hiérarchie bureaucratique, ont été des instruments importants dans la construction des communautés nationales, et ils continuent apparemment à jouer un rôle de premier plan dans la production des communautés ethniques [58].

D'autre part, la communauté ethnique, qui a pu dans le passé coïncider avec une expérience régionale de classe – comme le suggèrent certaines descriptions ethnographiques qui se réfèrent aux relations d'exploitation et de subordination qui coïncident avec la différentiation Indien – *ladino* – est actuellement construite comme une communauté dépassant les clivages de classes, tel un discours de médiation à l'intérieur des bureaucraties civiles, publiques et religieuses. L'objectivation de l'ethnicité participe à l'émergence de nouvelles relations et de nouvelles disputes. Il s'agit d'une façon de créer une solidarité et de mobiliser dans les relations avec et à l'intérieur de l'État, des Églises, des partis et des organisations (au sein desquels l'image de l'indianité peut être perçue par exemple comme une source de richesse culturelle et de pauvreté économique, ou le véhicule du message divin, ou encore une alternative à la « modernité ethnocide » contre le « néolibéralisme »). Mais elle se produit également dans la relation au marché et dans la division du travail dans un cadre transrégional et transnational, en particulier pour ce qui touche aux migrations économiques, au tourisme et à la commercialisation des produits agricoles – où l'indianité pourrait être traduite par des images de respect de la nature, de continuation d'une tradition prémoderne, d'un nouveau « primitivisme » et même d'une alternative à l'exploitation.

---

58. Anderson a beaucoup utilisé la thèse de la diffusion lorsqu'il a exploré les modalités de la production de l'idée de Nation. Ici, on cherche plutôt à explorer la production de cette ethnicité, bien que la « diffusion » en constitue un aspect important.

INVOCATIONS FRAGMENTÉES

La construction de l'ethnicité se profile aujourd'hui comme un processus fragmenté, qui correspond au contexte de négociation et de lutte dans lequel elle se produit. D'une part, on relève certaines caractéristiques sociodémographiques et de relations économiques qui interviennent dans la dynamique de l'imaginaire politique et dans la genèse des identités et des groupes [59]. Ainsi, à l'accroissement de la densité de la population se sont ajoutées la fin de la frontière agricole et l'absence d'alternatives économiques – à laquelle la bureaucratie du gouvernement a elle-même contribué. On peut supposer que la pression sur ces ressources est à l'origine des conflits « religieux » et « partisans » qui ont vu le jour dans plusieurs communautés des *Altos* du Chiapas ; de même, elle est à la source de l'émigration récente vers les villes les plus proches (Comitán, San Cristóbal, Tuxtla Gutiérrez, mais aussi vers les chefs-lieux municipaux du centre du Chiapas) et vers les zones où l'on recrute de la main-d'œuvre, telle la région touristique du Quintana Roo. En ville, le commerce et le transport ont absorbé cette migration, ainsi que la police et la sécurité privée (comme par exemple les agents qui surveillent les locaux commerciaux sur la place de San Cristóbal). La grande corporation des instituteurs indigènes s'est en partie constituée par ce même processus. D'autre part, le tourisme (principale industrie de services dans la région) a recruté sa main-d'œuvre parmi cette population tout en utilisant l'image indigène du Chiapas comme principal attrait pour le touriste étranger. Dans le Michoacán, l'émigration de longue date vers les États-Unis mais aussi vers la bureaucratie publique a peut-être orienté différemment ces pressions et ces tensions, même si ces dernières sont toujours présentes.

Le fait que la formation de l'État postrévolutionnaire ait atteint ses limites, et que ses institutions aient été réorientées vers ce que l'on appelle un État « néolibéral », a également influencé le processus de construction de l'ethnicité. L'incapacité des institutions publiques à couvrir la demande en biens et services – fonction qui a servi pendant de nombreuses années de lien entre les gouvernants et une multiplicité de groupes – a ouvert un espace dans lequel les organisations civiles, les partis et les Églises – via des agents recrutés parmi les classes moyennes urbaines et lettrées – ont construit un imaginaire de participation politique autour de projets de développement et de sécurité sociale. Des points de vue contradictoires se sont développés dans ce cadre, que l'on a retrouvés clairement dans les discussions du dialogue de San Andrés Larraínzar : un pôle regroupant les opinions de ceux qui voulaient rendre l'« État » plus efficace en promouvant l'extension et l'amélioration des activités des institutions de santé publique, d'éducation, de logement et, plus généralement, du *welfare* ; un autre, proposant que la « société civile organisée » remplace l'État dans

---

59. Lomnitz souligne les transformations récentes du « nativisme » à Tepoztlán, qui s'expriment dans l'évolution des rituels comme celui du carnaval, et qu'il associe aux transformations des relations centre – périphérie dans ce village devenu une ville, périphérie touristique de Mexico. Claudio Lomnitz-Adler. *Modernidad indiana. Nueve ensayos sobre nación y mediación en México*, Planeta, Mexico, 1998, pp. 168-186.

ses fonctions. Les images de l'ethnicité naviguent entre ces deux extrêmes : un secteur défavorisé avec des droits *vs*. une « citoyenneté » émergente [60].

Apparemment, le processus demeure ouvert et se produit sur la base d'expériences diverses, sur différents niveaux hiérarchiques et dans divers recoins de la bureaucratie, gouvernementale ou non. La fragmentation a lieu parce que l'ethnicité devient, de plus en plus, une langue qui permet la communication par-delà les classes et les localités [61]. Cette langue a principalement été produite dans des espaces d'interaction entre des groupes subordonnés et la bureaucratie gouvernementale : les Églises, les partis, les centres de recherche et les ONG [62]. La construction de l'ethnicité doit, par conséquent, être examinée vis-à-vis de la nouvelle compétitivité économique et politique. Sa construction n'est pas unidirectionnelle ni exclusive d'une quelconque tendance politique ; l'ethnicité apparaît plutôt comme une arène de dispute pour la représentation dominante de l'imaginaire sociopolitique [63]. Celui qui parvient à établir un contrôle sur l'ethnicité dispose d'avantages politiques importants, bien qu'il doive restreindre ses aspirations politiques aux limites de cet imaginaire. La construction de l'ethnicité dans ce contexte engage des processus très variés qui impliquent une récupération ou re-création (manipulation) des symboles, significations et structures symboliques pour créer un sentiment contemporain de communauté ethnique. Ainsi, des symboles sont réinventés, des significations se perdent, des sens et des usages sont créés.

Cette vision s'oppose aux conceptions qui prennent l'identité ethnique comme une « donnée » (historique ou culturelle) et invoquent sa reconnaissance

---

60. Guillermo De la Peña, « Etnicidad, ciudadanía y cambio agrario : apuntes comparativos sobre tres países latinoamericanos », communication au XVIᵉ Colloque du Colegio de Michoacán, « Las disputas por el México Rural », 16-18 novembre 1994.

61. Claudio Lomnitz-Adler, *Las salidas del laberinto. Cultura e ideología en el espacio nacional mexicano*, Joaquín Mortiz – Planeta, Mexico, 1995.

62. Friedlander parle d'une identité indienne d'infériorité dans le village de Hueyapan, Morelos, dans les années où elle y a séjourné (1969-1970). Les « Indiens » étaient définis comme ceux à qui les caractéristiques acquises par l'élite locale faisaient défaut. Néanmoins, les étrangers appartenant à la classe supérieure s'intéressaient à leurs costumes du fait de leur exotisme (Judith Friedlander, *Ser indio en Hueyapan*, Fondo de Cultura Económica, Mexico, 1977 [1975], pp. 101-136). L'auteure mentionne également les « extrémistes culturels » qui disputaient dans les années 1970 l'ethnicité à l'appareil bureaucratique gouvernemental. Dans les deux cas, ces activistes provenaient de la ville et de la classe moyenne aisée. Ils identifiaient certains secteurs comme les héritiers de la tradition indigène et essayaient de les sauver (les uns, en les métissant, les autres, en les indianisant). Ces extrémistes avaient plus de relations avec l'élite locale, disposée à jouer avec l'identité indienne (pp. 209-246).

63. « Les luttes à propos de l'identité ethnique ou régionale, c'est-à-dire à propos de propriétés stigmates ou emblèmes liées à l'origine à travers le lieu d'origine et les marques durables qui en sont corrélatives, comme l'accent, sont un cas particulier des luttes des classements, luttes pour le monopole du pouvoir de voir et de faire croire, de faire connaître et de faire reconnaître, d'imposer la définition légitime des divisions du monde social et, par-là, de faire et de défaire les groupes. » Pierre Bourdieu, 1985, *op. cit.*, p. 88.

politique et juridique. L'objectivation juridique de l'ethnicité, cependant, implique des contradictions importantes, car elle pourrait conduire à systématiser de multiples expériences évolutives, qui ont surgi comme des ramifications du processus historique de relation entre le local et le global [64], en une série de caractéristiques homogènes et immuables, instituées comme « culture » ou « us et coutumes ».

RÉFLEXIONS FINALES

La construction de l'ethnicité est passée par différentes étapes, au cours desquelles elle a acquis des significations variées. Dans un premier temps, la notion a été liée à une idéologie dominante de type racial. Puis, pendant la période postrévolutionnaire, les bases de la différenciation ont été principalement conçues sur une base sociale et culturelle avec l'indigénisme devenu idéologie d'État. Les ethnographies paraissaient alors indiquer un parallèle entre la différenciation ethnique et la différenciation sociale. À partir des années 1960, une nouvelle transformation a eu lieu dans la production de l'ethnicité : elle est devenue un concept discuté dans l'anthropologie elle-même, lié à l'identité, parfois politique ou militante.

L'ethnicité a été produite parallèlement au processus de construction de l'idée de Nation – dont les éléments ont parfois été inversés –, avec les mêmes médias de représentation et d'imagination. La différenciation indigène – non-indigène a été un élément fondamental dans cette histoire de l'imaginaire national, qui dépasse les conditions sociales changeantes et les fluctuations des bases idéologiques (du discours principalement racial au modèle culturel et politique). Dans une histoire longue, il semblerait que les visions et divisions héritées de la lutte entre les représentations postcoloniales et celles de la période postrévolutionnaire se reproduisent dans l'imaginaire politique. L'imaginaire émergent de l'ethnicité semble rencontrer ses limites du fait de cet héritage. Il est une expression du champ de l'imaginaire, plus qu'une explication du processus lui-même.

Pourquoi le langage de l'ethnicité s'est-il démontré aussi efficace dans ces espaces ? L'apparition des identités politiques est liée au fait que les espaces publics (espaces de communication) ont été construits au travers du rituel politique et de la médiation des intellectuels locaux avec l'appareil bureaucratique [65]. Avec le dénommé « retrait de l'État » et la formation de réseaux et d'organisations, de nouveaux espaces de communication se sont ouverts, mais nombre d'entre eux ont aussi été construits au travers du modèle de la relation ritualisée et des intellectuels médiateurs.

Traduit de l'espagnol par Julie Devineau

---

64. José Luis Escalona, « Reconstrucción de la etnicidad y transformaciones sociales » dans Andrew Roth Seneff et. al., 2004, *op. cit.*
65. Claudio Lomnitz-Adler, 1998, *op. cit.*

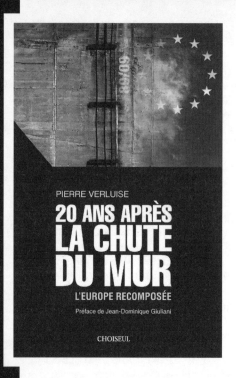

VARIATIONS RÉGIONALES : LA POLITISATION DES IDENTITÉS ETHNIQUES AU MEXIQUE

Julie DEVINEAU *

Comme l'a souligné Xóchitl Leyva, la notion d'ethnicité est uniquement utilisée au Mexique pour se référer aux populations indigènes, descendantes des populations précolombiennes, à l'exclusion d'autres catégories, comme par exemple les descendants de l'immigration asiatique ou européenne [1]. À la base de cette définition, on retrouve deux éléments modernes dans la conception des identités sociales, à savoir la distinction Indien/Métis [2] et l'affirmation de la descendance avec les populations précolombiennes. Au-delà de ces éléments, il faut reconnaître que le « contenu » des identités indigènes est déterminé par les conditions sociales, économiques et politiques locales. Dans certains contextes, l'ethnicité se politise, dans le sens où les identités culturelles deviennent des marqueurs utilisés de façon intentionnelle dans l'espace public par les intéressés eux-mêmes : parmi la multiplicité des appartenances sociales (communauté, religion, région, etc.), l'ethnicité est choisie comme l'identité de référence pour l'action collective. La spécificité mexicaine en ce domaine tient à la prégnance d'une action collective indigène de type « mouvement social », à la différence de pays comme la Bolivie, où l'action collective identitaire s'est principalement manifestée sous une forme syndicale, et l'Équateur (où le mouvement indigène s'est transformé en force politique de type partisan).

Cet article se propose de réaliser une lecture régionale de la politisation des identités indiennes : en reliant le contexte de cette politisation avec ses manifestations contemporaines, l'idée est d'une part d'exposer le caractère

* Julie Devineau est docteure en science politique, chargée de cours à Sciences-Po Poitiers.

1. Xóchitl Leyva Solano, "Indigenismo, Indianismo and 'ethnic citizenship' in Chiapas", *The Journal of Peasant Studies*, vol. 32, n° 3-4, juillet-octobre 2005, pp. 555-583.

2. Cf. le texte de José Luis Escalona Victoria publié dans cette revue.

pluriel de l'ethnicité en politique, et d'autre part, d'expliquer les variations observées. Pour cela, je développerai deux arguments.

Le premier, inspiré de François Bourricaud [3], souligne que l'ethnicité est une catégorie fluide et relative, mais qui donne une impression de distance culturelle incommensurable entre les groupes sociaux. C'est parce que les différents groupes partagent un même système de valeurs, les mêmes préférences matérielles, et sont en compétition pour les mêmes biens, que l'ethnicité revêt une valeur « fonctionnelle » en diminuant les risques de friction entre les groupes. Or, on observe depuis les années 1970 une intensification de cette compétition en milieu rural : à l'enjeu traditionnel de la terre se superposent de nouveaux défis comme l'usage des ressources naturelles, le contrôle de l'institution municipale, la canalisation de ressources publiques et privées pour le développement, et la possibilité d'accéder à des postes électifs. L'affirmation de l'appartenance ethnique dans la sphère publique correspond à une stratégie des acteurs sociaux dans la quête de ces biens. Il n'est pas dans notre propos d'interroger l'« authenticité » des identités ethniques, mais de mettre en relation le processus de politisation identitaire, le sens qui est conféré à ces identités, et les mutations de l'environnement sociopolitique régional.

La politisation des identités ethniques n'a cependant rien d'un processus linéaire, inéluctable. Pour expliquer l'apparition de ce processus, il faut prendre en compte comment l'ethnicité se transforme au contact de diverses organisations, qui encouragent de « nouvelles relations » avec les peuples indigènes : l'État, les églises, les organisations internationales, les associations, etc. [4] Nous interrogerons, en particulier, le rôle de l'État dans la politisation des identités ethniques, au travers de la mise en œuvre des politiques publiques.

L'étude détaillée des mobilisations sociales dans trois zones rurales, la Sierra Juárez (état d'Oaxaca), la Huasteca Potosina centrale (état de San Luis Potosí), et la région lacustre (état de Michoacán), va illustrer comment la « question ethnique » recouvre des enjeux forts différents au sein des sociétés politiques locales. Mais avant cela, nous allons revenir sur les transformations du monde rural depuis les années 1970, en spécifiant les nouveaux paramètres de la compétition sociale, politique et économique.

L'ÉTAT ET LES TRANSFORMATIONS SOCIOPOLITIQUES TERRITORIALES

Depuis les années 1960, les sociétés rurales ont connu de profondes mutations, sur la base desquelles les identités politiques se sont transformées.

---

3. Cf. le texte de François Bourricaud publié dans cette revue.
4. Nous rejoignons ici l'analyse de José Luis Escalona Victoria : « ¿Qué implicaciones tiene la etnicidad para la participación política de las poblaciones indígenas de América Latina, Hoy ? Perspectivas desde Chiapas », communication, 14 décembre 2007.

Trois éléments principaux doivent être pris en compte : la modernisation économique des campagnes, l'ouverture démocratique, et enfin, la reconfiguration des politiques publiques depuis 1994. Il importe de souligner le rôle de l'État dans chacune de ces dynamiques.

Les mutations socio-économiques

La petite agriculture expérimente de fortes transformations à partir des années 1960. Les évolutions des communautés paysannes sont reliées aux transformations générales de l'économie mexicaine. Le premier élément auquel les sociologues accordent une importance particulière est le ralentissement du processus de la réforme agraire, qui a constitué un élément puissant d'identification des populations paysannes indigènes et métisses avec le régime depuis 1917. Le processus de redistribution et de certification des titres de propriété collective de la terre arrivant progressivement à son terme, de moins en moins de terres sont distribuées. Le rythme de certification des terres *ejidales* et communales (deux formes voisines de propriété collective de la terre) dans les régions étudiées donne une idée de l'époque à laquelle la réforme agraire touche à sa fin. Cette limite est variable d'une région à l'autre : elle est atteinte en premier dans la région lacustre du Michoacán, où le plus grand nombre de dotations de terre a lieu entre 1935 et 1960 ; puis dans la Huasteca Potosina centrale, où l'essentiel des dotations de terre a lieu entre 1934-1946 et 1964-1982 ; et enfin dans la Sierra Juárez de l'Oaxaca, où la plupart des communautés reçoivent la confirmation de leurs possessions communales entre 1958 et 1988 [5]. Deux phénomènes tendent toutefois à atténuer les tensions issues de la fin de la redistribution des terres : la colonisation et l'émigration.

Jusqu'au début des années 1980, le gouvernement soutient la modernisation des activités agricoles et encourage leur redéploiement vers les régions tropicales. De grands projets de transformation des terres tropicales, menés par les toutes puissantes commissions hydrauliques, ouvrent de nouvelles terres aux populations exclues ou mal dotées par la réforme agraire. Le second facteur à prendre en compte est l'exode rural, une dynamique démographique qui commence dès les années 1950, favorisée par l'extension du réseau routier. Dans la région lacustre du Michoacán comme dans la Sierra Juárez du Oaxaca, d'importants flux migratoires définitifs, vers la ville de Mexico et vers les États-Unis, s'ajoutent à la migration temporaire dans la capitale de l'état. Dans la Huasteca Potosina en revanche, les migrations sont essentiellement saisonnières, liées à l'extension du salariat agricole dans les grandes exploitations du nord du pays. La pression démographique y est beaucoup plus forte que dans les deux autres régions. Néanmoins, dans les

---

5. Ces données sont issues, pour la région lacustre du Michoacán et la Huasteca Potosina centrale, des actes de certification du PROCEDE des archives des antennes de la *Procuraduría agraria* de Pátzcuaro et de Ciudad Valles. En ce qui concerne la Sierra Juárez, les données proviennent de : *Atlas agrario del estado de Oaxaca*, Oaxaca, Gobierno del estado de Oaxaca – Secretaria de asuntos indigenas/SRA/INI, 2002.

trois régions, l'émigration a pour conséquence une diversification des sources de revenu des habitants des communautés, soit directe (via le travail salarié ou indépendant à l'extérieur de la communauté), soit indirecte, grâce aux transferts d'argent à la famille. Elle a aussi pour conséquence le développement de nouveaux secteurs d'activité, en particulier celui de la construction [6].

Les politiques agricoles et agraires ont connu d'importants infléchissements sous les gouvernements De la Madrid (1982-1988) et Salinas (1988-1994), suite à la réorientation de la politique macro-économique après la crise économique de 1982. Les crédits de l'administration agricole sont amputés ; les commissions hydrauliques sont fermées, tandis que l'État abandonne progressivement son soutien aux prix des matières premières ; enfin, la réforme agraire est officiellement arrêtée avec la modification de l'article 27 de la Constitution, qui confie au pouvoir judiciaire les décisions relatives à la création et la transformation des *ejidos*, tout en promouvant l'individualisation des parcelles collectives. Ces réformes n'ont évidemment pas le même impact, ni symbolique, ni économique, selon la situation migratoire et la dépendance des populations envers l'État.

La démocratisation des espaces publics locaux

Depuis la fin des années 1970, une nouvelle dynamique sociopolitique voit le jour dans les territoires ruraux : l'ouverture démocratique. Bien que l'enjeu de l'alternance ne se soit pas concrétisé au même moment sur l'ensemble des territoires, on relève deux moments à partir desquels les règles du jeu politique ont été transformées à l'échelle locale.

Le premier de ces moments est celui de l'ouverture politique : depuis 1976, plusieurs réformes électorales dessinent les contours d'une participation politique en dehors du Parti révolutionnaire institutionnel (PRI). Ainsi, progressivement, « les réformes politiques se sont succédé, visant à faciliter l'enregistrement des partis, à permettre une meilleure compétition électorale, à garantir une représentation correcte de l'opposition dans les chambres [7](…) ». Au niveau local, la réforme municipale de 1982 transforme les règles du jeu politique dans la mesure où elle garantit à l'opposition une représentation proportionnelle au conseil municipal. Mais la possibilité d'une alternance au pouvoir, même dans les municipalités, est pratiquement inexistante : dans les années 1980, seules quelques rares municipes ont été remportés par des partis d'opposition (voir le graphique ci-dessous).

---

6. Sur la transformation socio-économique des communautés et leur « déruralisation », cf. les excellents travaux de Marie-Noëlle Chamoux, « La roue de la fortune et le développement. Stratégies de mobilité sociale dans un village mexicain (1970-1980) », *Cahier des Sciences Humaines*, vol. 23, n° 2, 1987, pp. 197-213. George A. Collier & Elizabeth Lowery Quaratiello, *¡Basta! Tierra y rebelión zapatista en Chiapas*, Tuxtla Gutiérrez, UNACH/food first books, 1998.

7. Georges Couffignal, « La fin de l'exception mexicaine : le PRI dans l'après guerre froide », *Relations Internationales et Stratégiques*, n° 14, été 1994, pp. 70-77 (p. 75).

Graphique 1 : Proportion des gouvernements locaux gouvernés par un autre parti que le PRI

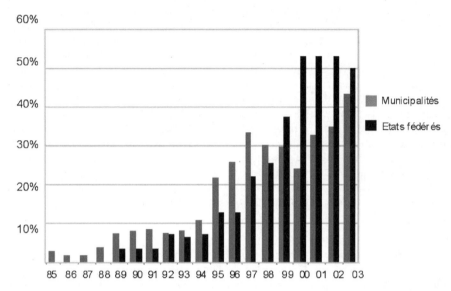

Source : CIDAC [8]

Ce n'est qu'à partir de 1988-1989 que la possibilité de l'alternance au pouvoir se concrétise. Paradoxalement, c'est à la faveur d'une fraude électorale que le pluripartisme se consolide au Mexique : la polémique déclenchée par les irrégularités entachant l'élection présidentielle de 1988, ainsi que les scores élevés de l'opposition à cette même élection, contribuent définitivement à enraciner l'idée du pluripartisme et à renforcer les contrôles sur les processus électoraux. En 1989, un gouvernement d'état est pour la première fois remporté par un parti d'opposition. L'alternance politique se banalise par la suite dans les années 1990.

Ce fait transforme les conditions locales d'accès au pouvoir. La compétition politique se transpose de l'intérieur du PRI (rivalité entre les différentes fractions du parti) vers la scène publique locale, via la concurrence entre les partis, à l'issue d'élections de plus en plus transparentes, mais aussi de plus en plus disputées. En effet, les élections municipales ont acquis une importance croissante du fait du renflouement des finances publiques locales, sous l'effet de la décentralisation. Jusqu'en 1997, les petites municipalités rurales n'avaient pratiquement pas de budget d'intervention. En cinq ans, les finances municipales sont multipliées par quatre. À mesure que les municipalités deviennent des acteurs incontournables des politiques de travaux publics, les responsabilités politiques municipales sont de plus en plus attractives.

---

8. Centro de investigaciones para el desarrollo en México : www.cidac.org

Les politiques néoindigénistes

Enfin, l'autorité de l'État se reconfigure sur les territoires ruraux par l'évolution des politiques publiques. La politique indigéniste, sous-tendue par un paradigme d'intégration nationale, a été l'objet d'une très vive critique politique et intellectuelle depuis les années 1970 [9]. Mais l'impact de cette critique sur le dispositif a été particulièrement insignifiant : le gouvernement a tout au plus laissé « dériver » l'Institut national indigéniste (INI, agence responsable de la politique indigéniste du gouvernement) depuis les années 1980, en le privant de moyens pour financer sa transformation. C'est un événement extérieur, l'insurrection de l'Armée zapatiste de libération nationale (EZLN) au Chiapas en 1994, qui précipite la crise de la politique indigéniste, sans toutefois fournir une orientation claire sur son fondement institutionnel, ni le consensus politique nécessaire à sa refonte. À partir de 1994, les politiques indigénistes vont être marquées par un processus de tâtonnement, d'expérimentation, où les initiatives locales jouent un rôle prépondérant.

Avant de poursuivre, il faut rappeler l'impact qu'a eu le soulèvement armé néozapatiste sur l'évolution de l'enjeu ethnique au niveau national. Dès les premiers mois de l'insurrection, l'EZLN se positionne comme le porte-parole d'un mouvement de lutte pour la reconnaissance des droits des peuples indigènes. À l'intérieur du pays, une vague de solidarité avec les insurgés regroupe la gauche mexicaine ainsi que la quasi-totalité des organisations paysannes et indigènes du pays, à l'exception des associations corporatistes liées au régime. Suite aux accords de San Andrés, issus des négociations entre le gouvernement et l'EZLN (1996), plusieurs projets de réforme constitutionnelle en matière indigène voient le jour. Mais ce n'est qu'en 2001, suite à la victoire du candidat d'opposition Vicente Fox (Parti d'action nationale, PAN) aux élections présidentielles, qu'une réforme est votée. Celle-ci est critiquée tant par l'EZLN que par les principaux courants du mouvement indigène national, représentés par les macro-organisations du Congrès national indigène et de l'Assemblée nationale indigène plurielle pour l'autonomie. Au niveau local, la réforme se convertit en un enjeu de mobilisation des organisations indiennes car les congrès des états fédérés sont chargés, dans un premier temps, de se prononcer vis-à-vis du texte, puis de transposer la modification constitutionnelle dans leur propre constitution [10].

---

9. Henri Favre, « L'indigénisme mexicain : crise et reformulation » dans *Le Mexique en 1976*, Perpignan, Institut d'études mexicaines, 1977.

10. L'organisation fédérale du pays implique en effet que toute réforme constitutionnelle doit être entérinée par un vote positif d'au moins 2/3 des états fédérés pour être promulguée. Par ailleurs, les états fédérés disposant d'une constitution en partie « calquée » sur la Constitution fédérale, il est fréquent qu'une réforme constitutionnelle fédérale soit suivie par un ensemble de réformes des constitutions locales.

Indépendamment des réformes constitutionnelles, les politiques publiques destinées aux populations indigènes suivent trois tendances à partir de 1994. D'une part, les différences culturelles sont officialisées dans certains domaines de l'action publique : il s'agit essentiellement de la culture, de la Justice ainsi que de l'environnement. Dans ces secteurs, des mesures de reconnaissance de la diversité, ainsi que d'accommodement du système politique à cette diversité, sont adoptées. Ces politiques partagent une même conception de « l'espace » de la différenciation ethnique : les communautés [11]. Par ailleurs, les communautés sont de plus en plus considérées comme des unités douées d'une volonté, soit encore comme des acteurs dont on attend une participation active au sein des politiques. L'État ne se retire pas pour autant de ces secteurs d'action publique. Il accompagne plutôt la diversité en formalisant de nouveaux instruments de contrôle, plus ou moins directs, sur des activités qui étaient jusqu'alors tolérées mais laissées à la marge du dispositif public. Par exemple, dans le domaine judiciaire, plusieurs lois locales, adoptées par les congrès des états fédérés, définissent le domaine de compétence de la justice indigène, ainsi que certaines procédures de son application telles que l'homologation des normes coutumières communautaires ou certaines procédures de la justice indigène [12]. La puissance publique finance également les activités communautaires sous forme de subventions, d'incitations financières pour travailler avec des consultants ou en formant directement les responsables locaux.

C'est aussi l'universalité des politiques sociales entre indigènes et métis, qui a récemment (et subtilement) été remise en cause. Depuis les années 1970, les fonds publics destinés au développement et à la lutte contre la pauvreté ont essentiellement été affectés en fonction du taux de « marginalisation » des localités [13]. C'est donc en tant qu'exclus du développement que les indigènes peuvent prétendre recevoir de nombreuses prestations sociales, au même titre que les « Métis pauvres ». Vers la fin des années 1990, une nouvelle étape a été franchie. Plusieurs programmes de développement prennent officiellement en compte le critère ethnique pour cibler leurs prestations : programmes d'infrastructure sociale, de développement rural, de conservation de la biodiversité, « microrégions pour le développement », etc. Là encore, ce n'est pas le fait de se revendiquer indigène qui importe, mais celui d'appartenir à une communauté considérée comme indigène, en fonction de la proportion d'habitants parlant une langue indienne. Même

---

11. Philippe Macaire, « Reconnaître les coutumes : le discours de la loi face aux enjeux locaux » dans *TRACE*, n° 46, 2004, pp. 121-142.
12. « Ley de derechos de los pueblos y comunidades indígenas del estado de Oaxaca », chapitre V, Congreso del estado de Oaxaca. « Ley de administración de justicia indígena y comunitaria del estado de San Luis Potosí », Congreso del Estado de San Luis Potosí.
13. La « marginalisation » ou exclusion renvoie à un taux global de sous-développement territorial qui prend en compte la carence de services publics, le taux d'analphabétisme, et, plus récemment, le niveau moyen de revenu dans la zone considérée.

si les ressources réservées aux populations indigènes représentent un petit pourcentage de chaque programme (entre 10 et 20 %), la généralisation du procédé dans la plupart des secteurs est frappante.

Enfin, il faut souligner une tendance officielle mais informelle, dont l'importance s'accroît vers la fin des années 1990 : la promotion de personnalités indigènes à des postes de responsabilité dans l'administration publique. Cette politique représente un aboutissement des initiatives de formation d'une élite indigène entreprises dans les années 1970, dans le domaine de l'éducation et de l'anthropologie. Essentiellement appliquée par l'INI, qui recrute massivement des cadres d'organisations indigènes et des intellectuels indiens en 2000, elle s'étend, de façon informelle, à d'autres secteurs comme l'environnement et le développement social. Ces initiatives ne sont pas sans causer des heurts, notamment provoqués par les divergences politiques entre les organisations indianistes et l'État (lors de la réforme constitutionnelle de 2001 par exemple) ou des conflits d'intérêts (étant donné que les politiques indigénistes ont pour bénéficiaires les organisations dont sont issus leurs nouveaux dirigeants). Elles constituent pourtant, à toutes les échelles de l'administration, un enjeu de mobilisation collective et individuelle important pour la société indigène.

VARIATIONS RÉGIONALES

Si les mutations socio-économiques du monde rural, l'ouverture démocratique, et l'évolution des politiques indigénistes offrent une sorte de syntaxe nationale du changement des populations indigènes, la chronologie et l'intensité de ces trois facteurs varient d'une région à l'autre. L'intervention différentielle de l'État sur les territoires modifie la nature des biens autour desquels s'organise la compétition sociale, ainsi que la politisation des identités. Pour comprendre les ressorts et les modalités de ce processus différentiel, nous allons observer les acteurs qui assument et revendiquent leur appartenance ethnique dans la sphère publique, dans trois régions qui illustrent la pluralité des formulations politiques de l'appartenance ethnique.

La Sierra Juárez du Oaxaca : les sept vies du communalisme

La Sierra Juárez est située au nord de la ville d'Oaxaca ; dans cette vaste région, le district d'Ixtlán est très représentatif de ce que Jan Rus a appelé la « communauté révolutionnaire institutionnelle », en référence au nom du parti hégémonique au Mexique [14]. Des années 1850 jusqu'à la révolution, les caudillos de la Sierra ont réalisé de fréquentes incursions militaires dans la vie politique locale. Après la Révolution, l'enjeu du gouvernement était de

---

14. Jan Rus, "The 'Comunidad Revolucionaria Institucional' : the subversion of native government in highland Chiapas, 1936-1968" dans G. Joseph & D Nugent (dirs.), *Everyday forms of state formation. Revolution and the negotiation of rule in modern Mexico*, Londres, Duke University Press, 1994, pp. 265-300.

pacifier cette région qui jouxte la capitale de l'état via l'intégration au parti hégémonique et ses réseaux politiques : la Confédération nationale paysanne (CNC), les jeunesses révolutionnaires, la franc-maçonnerie, etc. Un syndicat municipal est constitué regroupant les 26 municipalités de la région : l'Union libérale des *Ayuntamientos* du district d'Ixtlán, qui, depuis 1934, dépend du leadership qu'assument les élites politiques d'Ixtlán. Surtout, comme dans les Altos du Chiapas décrits par Jan Rus, le PRI s'est solidement implanté dans les communautés villageoises en « subvertissant » le système de charges traditionnelles via l'institution municipale. Ainsi, les autorités municipales sont désignées par l'assemblée communale ; un simulacre d'élection a lieu après la désignation pour entériner l'élection du maire, automatiquement inscrit au PRI. Les élites politiques locales sont de fervents défenseurs de la tradition communale, dans la mesure où elles sont des leaders d'opinion des assemblées communales.

Les années 1960 sont porteuses d'un double changement : d'une part, un fort courant migratoire commence à dépeupler les communautés *serranas*, dont les habitants émigrent vers Mexico, puis, dans les années 1980, vers la Californie. D'autre part, le gouvernement octroie des concessions d'une durée de 25 ans à des compagnies forestières pour exploiter les bois de la région, qui recouvrent le territoire d'environ un tiers des communautés. En 1965, la principale de ces entreprises, FAPATUX, est nationalisée pour intégrer le complexe parapublic de la commission hydraulique du Papaloapán. Sa direction entretient des relations à la fois officielles (indemnisations) et informelles (cooptation des leaders d'opinion) avec les villages dont la forêt recouvre leurs territoires agraires.

Les conflits qui apparaissent dans les années 1970 entre la direction de l'entreprise et les habitants des communautés forestières correspondent à l'arrivée d'une nouvelle génération de *serranos* dans la vie active, qui ont fait leurs études à l'université ou à l'école normale, et qui dénoncent notamment l'inégalité de l'échange entre les communautés et les entreprises forestières. Beaucoup plus critiques à l'égard du système politique que leurs aînés, les jeunes *serranos* s'engagent dans des projets de vocation régionale comme la publication de journaux locaux. À leur instigation, plusieurs communautés annoncent qu'elles veulent mettre en valeur leurs ressources forestières. L'idée que les communautés administrent elles-mêmes leurs forêts gagne rapidement en popularité. En coordination avec des collègues de l'université, les jeunes *serranos* s'appliquent à l'organisation d'un mouvement de résistance à FAPATUX pour empêcher une nouvelle concession forestière, l'Organisation de défense des ressources naturelles de la Sierra Juárez (ODRENASIJ).

Entre 1980 et 1984, le discours de l'ODRENASIJ emprunte à plusieurs répertoires : il s'agit tout d'abord d'un réquisitoire anticapitaliste, où l'idée d'autogestion communale est opposée aux profits du « grand capital ». Ensuite, le discours magnifie les identités communautaires, en faisant écho aux thèses culturalistes essentialistes. La lutte contre l'entreprise se réalise au nom des communautés indiennes, dont la culture s'oppose à l'individualisme occidental, et où la propriété collective s'impose à la propriété individuelle... autant de caractéristiques que le principal leader du mouvement, Jaime Luna, conceptualise sous le terme de *comunalidad,* « communalité ». Enfin, le discours emprunte à l'argumentaire écologiste : les forêts, patrimoine des communautés, doivent être préservées du saccage. Dans cette région montagneuse où la petite agriculture est peu productive, c'est moins la terre que les richesses naturelles qui deviennent un enjeu économique.

Remarquons que le lien établi entre la question identitaire et la protection des ressources naturelles est une innovation dans le répertoire des mobilisations rurales au Mexique, où le thème de l'environnement n'a que tardivement été relié à l'enjeu indigène [15]. À l'origine de ce croisement, on retrouve les parcours de jeunes promoteurs qui ont été amenés à étudier puis à travailler sur des projets de mise en valeur des ressources naturelles. Le retentissement national du mouvement les a par la suite conduits à établir des relations avec les pionniers de l'écologie sociale, à l'université et dans les premières ONG impliquées dans cette problématique. Mais paradoxalement, la plupart des promoteurs du mouvement sont aussi employés par l'administration fédérale. Les années 1970 sont en effet une période pendant laquelle l'administration se déploie dans la région, offrant un débouché aux jeunes diplômés et permettant à des professionnels provenant d'autres régions de s'impliquer dans le mouvement. Le discours communaliste réapparaît dans les franges de l'État, dans les espaces qui ont été ouverts aux personnalités indépendantes des réseaux du PRI à la fin des années 1970.

Après avoir ignoré le mouvement social, le gouverneur tolère l'activisme de ce nouveau « leadership communaliste », qui se garde par ailleurs de toute incursion dans le domaine de la politique électorale. Lorsque le mouvement des communautés décline, au milieu des années 1980, plusieurs de ses anciens promoteurs s'engagent dans des projets associatifs qui approfondissent les lignes de force de la mobilisation en encourageant la réalisation de projets communautaires (culture, forêts, transport). La dynamique associative se prolonge dans les années 1990, avec une diversification des activités (agriculture biologique, environnement) et un renouvellement de l'encadrement des organisations sociales.

À partir des années 1980, trois enjeux confortent la culture politique communaliste, que l'on peut définir comme le contrôle des ressources communales soutenu par le système des charges. Il s'agit, en premier lieu, de la question forestière. En 1983, le président de la Madrid, récemment entré en fonction, abandonne le projet forestier dans la Sierra Juárez et abroge la nouvelle concession forestière qui venait d'être décrétée par son prédécesseur. Les villages ont désormais la jouissance de la forêt. Une dizaine d'entre eux créent des entreprises communales dédiées à la coupe et à la

---

15. David Dumoulin, *Les politiques de conservation de la nature confrontées aux politiques du renouveau indien : une étude transnationale depuis le Mexique,* Thèse de Doctorat en science politique, IEP Paris, 2003.

transformation du bois ; plus tard, dans les années 1990, les entreprises les plus importantes se diversifient vers des secteurs comme l'eau et les mines. Les autorités agraires de ces villages deviennent de véritables chefs d'entreprise, gérant un budget conséquent, avec les conseils d'une myriade d'ONG environnementalistes.

L'idéologie communaliste est en second lieu renforcée dans les années 1990 par les mesures politiques adoptées par le gouvernement du Oaxaca. En 1994, le gouverneur instaure en effet une réforme du code électoral prévoyant d'officialiser les élections municipales coutumières dans les communautés indigènes. David Recondo a analysé, dans sa thèse, comment un large éventail d'acteurs (partis politiques, organisations indiennes, experts) se sont coalisés autour d'une réforme qui reconnaît les « us et coutumes » électoraux, ce qui a abouti, *in fine*, à l'éviction des partis politiques des élections municipales [16]. Dans la Sierra Juárez, où les associations ont milité en faveur de la réforme, les vingt-six municipalités ont choisi le système de vote par us et coutumes, officialisant les pratiques de vote en assemblée réalisées jusqu'alors. Au niveau des représentations politiques, cette mesure a pour principal effet d'effacer les différences entre indigènes et métis : même si l'usage d'une langue indigène n'a jamais été un motif déclaré de discrimination, désormais, l'équivalence est tracée entre « us et coutumes » et ethnicité.

Enfin, dans les années 1990, la décentralisation et le transfert de fonds fédéraux aux municipalités renforcent l'appartenance communale. Des relations « d'indifférence mutuelle [17] » régissaient traditionnellement les rapports entre les autorités des différentes communautés : le président municipal, qui représente seulement l'autorité administrative de la communauté chef-lieu, n'interfère ni dans la nomination, ni dans les décisions des autorités administratives des autres communautés composant le municipe. L'afflux de ressources financières génère de nouvelles rivalités entre les différentes communautés de chaque municipe : dans un premier temps, beaucoup d'autorités municipales ont considéré que les ressources décentralisées appartenaient au seul chef-lieu municipal et ont exclu les autres communautés des bénéfices du programme. Cette position a provoqué des mouvements de protestation de la part des habitants des communautés satellites. Il a donc fallu trouver un compromis entre les autorités des communautés et celles des chefs-lieux ; l'octroi d'un budget aux autorités de toutes les communautés a représenté une solution de compromis, au nom de

---

16. David Recondo, *État et coutumes électorales dans l'Oaxaca (Mexique). Réflexions sur les enjeux politiques du multiculturalisme*, thèse de science politique, Bordeaux IV, 2002, pp. 205-245.

17. Jorge Hernández-Díaz, « Todos iguales, pero unos más iguales que otros : la relación entre las cabeceras y las agencias municipales en Oaxaca » dans Araceli Burguete Cal y Mayor, Leticia Santín del Río, & Fausto Díaz Montes (dirs.), *Formas de integración del gobierno en municipios con población indígena y ciudadanía multicultural : Oaxaca - Chiapas*, Mexico, FLACSO, 2004, pp. 61-69.

l'autonomie communale. Aujourd'hui, l'Oaxaca est le seul état dans lequel les municipes redistribuent une partie de leur budget à leurs communautés.

L'analyse du mouvement communaliste dans la Sierra Juárez indique que le « communalisme » est une idéologie très fluide. Porté successivement par les élites politiques du PRI, les leaders de mouvements sociaux, les ONG, les autorités agraires et les autorités administratives, le communalisme s'est teinté, depuis la fin des années 1970, d'une dimension ethnique qui n'était pas explicite jusqu'alors. Mais contrairement à une vision traditionaliste, cette culture politique a représenté un moteur du changement socio-économique dans les années 1980. Aujourd'hui, elle constitue un élément important dans l'adaptation des collectivités rurales au changement politique.

La région lacustre du Michoacán : l'ethnicité comme héritage

L'ethnicité revêt au Michoacán une dimension publique beaucoup plus prononcée que dans les autres États étudiés ; la tradition indigéniste assumée tant par l'État que par l'Église est profondément enracinée dans les institutions locales. Mais bien que l'état compte quatre groupes ethno-linguistiques (purhépecha, otomi, pame et nahua), seul le groupe purhépecha, aussi appelé tarasque, dispose d'une visibilité ainsi que d'une influence politique dans l'état. Trois éléments historiques concourent au renforcement de cette identité ethnique mythifiée.

Les Purhépechas sont en premier lieu considérés comme les descendants de l'empire tarasque, dont le territoire recouvrait l'actuelle région centrale du Michoacán. Le fait que les Tarasques aient toujours résisté aux invasions aztèques confère à ce peuple une image d'indépendance qui attirera l'attention tant des pouvoirs coloniaux que, plus tard, des élites politiques modernes qui puisent dans ce fonds historique des arguments régionalistes. En second lieu, l'évêque Vasco de Quiroga a joué au XVIᵉ siècle un rôle actif de protecteur des villages indiens. L'Église organise les villages autour de l'institution du village-hospice qui régit la vie spirituelle, sociale et économique des Purhépechas. La vie communautaire promue par l'évêché de Morelia s'est beaucoup inspirée du modèle de *L'Utopie* de Thomas More. Si la plupart des terres communautaires ont été démembrées au XIXᵉ siècle, après la révolution, la réforme agraire a ouvert de nouvelles opportunités aux communautés pour récupérer leurs anciennes terres. L'identité purhépecha est devenue la matrice de leurs revendications pour l'obtention d'un statut communal [18].

Enfin, le troisième repère historique survient avec l'élection de Lázaro Cárdenas del Río comme gouverneur du Michoacán en 1928 (il sera élu président en 1934). Cárdenas, sa famille, et son groupe politique ont dominé

---

18. Les « biens communaux » sont une formule juridique agraire qui se rapproche de l'*ejido* dans la mesure où la terre appartient à la collectivité ; mais alors que les biens communaux représentent une restitution d'un patrimoine possédé à l'époque coloniale, l'*ejido* constitue une dotation de terre par l'État.

la vie politique du Michoacán au XXe siècle. Il intègre le groupe « paysan » au système corporatiste mexicain, en donnant à la réforme agraire une priorité politique sur l'agenda du gouvernement. Mais Cárdenas est aussi une figure importante de l'indigénisme. L'indigénisme cardéniste s'incarne dans une attitude valorisant les racines indigènes de la Nation, grâce à l'archéologie et à l'anthropologie, combinée à une action publique reposant sur l'éducation et la réforme agraire pour intégrer culturellement et socialement les indigènes. Dans le Michoacán, les Purhépechas trouvent dans Cárdenas un allié pour récupérer leurs terres communales, tandis que de nombreuses institutions éducatives indigénistes encouragent des recherches sur la culture purhépecha.

Suite à la mise en œuvre successive des politiques indigénistes dans l'état, une influente élite culturelle et sociale indigène s'est développée. Cette élite est morcelée, formant un ensemble disparate de groupes socioprofessionnels [19] : les « instituteurs bilingues » de la direction générale de l'éducation indigène (ministère de l'Éducation) et les promoteurs culturels de l'INI ; les ethnolinguistes formés par le CIESAS ; les universitaires du Centre de recherche sur la culture purhépecha de l'Université du Michoacán à Morelia ; les militants de l'Union des Comuneros Emiliano Zapata (UCEZ), une importante organisation sociale qui, en revendiquant la spécificité du système agraire communal sur *l'ejido*, prône également la revitalisation de la culture et de l'organisation communautaire traditionnelle. Dans les années 1980, le contexte politique local est particulièrement favorable aux différentes manifestations de la différence culturelle : le gouvernement de Cuauhtémoc Cárdenas [20] dialogue avec chacun de ces groupes, sans prétendre influencer leur orientation politique. D'ailleurs, un projet régional rassemble progressivement l'ensemble de l'élite culturelle purhépecha : les festivités du « nouvel an purhépecha », initiées en 1983 par les universitaires spécialistes de musique traditionnelle, mettent en avant une vision unifiée du « peuple purhépecha » grâce à des symboles régionaux unificateurs tels que le drapeau, le slogan (*Juchari Uinapikua*, « notre force »), et l'hymne [21].

Entre 1990 et 1992, dans le sillage des commémorations du 500e anniversaire de la découverte de l'Amérique, plusieurs organisations purhépechas sont créées dans la perspective de la reconnaissance des droits indigènes. Ces organisations font preuve d'une grande capacité de mobilisation en se positionnant face à l'enjeu de la contre-réforme agraire. C'est ainsi que naît le mouvement « Nation Purhépecha », qui se positionne comme un groupe

---

19. Pour une analyse de ces groupes, cf. Gunther Dietz, « *La comunidad Purhépecha es nuestra fuerza* » : *etnicidad, cultura y región en un movimiento indígena en México*, Quito, Abya-Yala, 1999, pp. 242-330.

20. Fils de Lázaro Cárdenas del Río, Cuauhtémoc Cárdenas a été gouverneur du Michoacán de 1980 à 1986 ; plusieurs fois candidat à la présidence, il a fondé le Parti de la révolution démocratique (PRD) en 1989.

21. Eduardo Zárate Hernández, *Los Señores de Utopia*, Zamora, Morelia, 1993, pp. 31-53.

d'opposition à la politique libérale du gouvernement Salinas. En 1994, lorsque la fièvre indigène parcourt la société et les institutions mexicaines, Nation Purhépecha est, au Michoacán, la seule organisation de masse prétendant parler au nom de tous les purhépechas (même si sa base est essentiellement constituée par des instituteurs bilingues). Les liens de Nation Purhépecha avec le mouvement néozapatiste ne se démentiront pas, les leaders de l'organisation s'impliquant dans les différentes mobilisations et organisations de soutien à l'EZLN. Nation Purhépecha développe deux répertoires d'action collective : d'un côté, ses leaders assument un discours indianiste radical, qui comprend les revendications d'autonomie territoriale dans le cadre de régions autonomes pluriethniques, la création d'une nouvelle circonscription électorale législative réservée aux indigènes et la constitution de municipes indigènes [22]. De l'autre, l'organisation fait pression sur l'administration pour faire aboutir les demandes ponctuelles des autorités villageoises qui participent au mouvement ainsi que les revendications professionnelles des instituteurs.

Les conflits autour de la direction du centre coordinateur indigéniste de Pátzcuaro illustrent comment ces deux registres forment une stratégie cohérente, qui fait de l'organisation un véritable groupe de pression au niveau local. Le « fonds régional » du centre coordinateur de Pátzcuaro – une organisation de crédit codirigée par l'INI et les autorités traditionnelles communales – est devenu, dans les années 1990, un espace de cooptation informelle des leaders d'opinion des communautés de la région lacustre. Le crédit a permis de tisser des relations clientélistes entre la directrice du centre coordinateur et les leaders de la région lacustre, dont plusieurs militent à Nation Purhépecha [23]. Après plusieurs tentatives de l'institution, la directrice est licenciée en 1997. Les militants de Nation Purhépecha envahissent alors le centre coordinateur de Pátzcuaro et maintiennent le siège pendant près d'un mois. Les manifestants réclament l'arrêt du contrôle des comptes du fonds régional, le maintien de la directrice et la démission du délégué régional de l'INI. Devant le refus de l'INI de maintenir la directrice à la tête du centre coordinateur, les participants demandent que le nouveau directeur du centre soit un Purhépecha. Même si la revendication n'est pas exaucée, l'enjeu de la promotion d'indigènes purhépechas à la tête des institutions indigénistes locales devient un leitmotiv de l'organisation indienne. En 2003, pour résoudre un nouveau conflit ayant pour enjeu le fonds régional, les autorités des villages de la région vont choisir par vote le nouveau directeur du centre coordinateur.

---

22. Raúl Máximo Cortés, « Orígenes y proyecto de Nación Purhépecha » dans Marta Terán & Carlos Paredes Martínez (dirs.), *Autoridad y gobierno indígena en Michoacán. Ensayos a través de su historia*, 2 vol., vol. 2, Zamora, CIESAS-Colmich-INAH-UMSNH, 2003, pp. 581-589.
23. Entretien avec Gustavo Alcocer, délégation de l'INI au Michoacán, 12 mai 2004, Morelia.

En 2001, l'occasion d'influencer les politiques du gouvernement du Michoacán se présente pour Nation Purhépecha. Lors de sa campagne électorale pour devenir gouverneur, Lázaro Cárdenas Batel (fils de Cuauhtémoc Cárdenas et petit-fils de Lázaro Cárdenas) se rapproche de Nation Purhépecha ; cette dynamique est facilitée par le fait que de nombreux instituteurs à la tête du mouvement sont également des cadres du PRD. Le candidat et l'une des organisations Nation Purhépecha [24] concluent une alliance électorale, en vertu de laquelle les dirigeants du mouvement se voient reconnaître comme interlocuteurs quasi-uniques du gouvernement en matière indigène. Or, même si de nombreux cadres de Nation Purhépecha intègrent les institutions du gouvernement d'État, la participation de l'organisation au gouvernement Cárdenas aboutit à un échec des principaux chantiers politiques : la réforme constitutionnelle locale achoppe sur une incompatibilité entre les préférences des députés locaux et les prétentions politiques des activistes purhépechas, qui réclament une remunicipalisation sur critères ethniques, l'instauration d'un « gouvernement régional » indigène, ou encore la création de sièges de députés indigènes.

Le Michoacán se distingue donc à la fois par la présence d'une organisation indigène hégémonique et par l'élaboration politique des revendications formulées en son sein. Cette dernière particularité doit être mise en relation d'une part avec la trajectoire de ses membres, qui disposent d'une trajectoire militante au sein des syndicats enseignants et sont rodés à l'expérience du pouvoir. D'autre part, même dans les territoires où la concentration de la population indigène est la plus élevée, ceux-ci demeurent minoritaires au sein des municipalités [25]. Pour accéder aux responsabilités publiques, des solutions institutionnelles permettant la création d'un système parallèle sont donc nécessaires.

La Huasteca Potosina : l'indianisation tardive

En comparaison avec les deux autres régions, la politisation des identités ethniques dans la Huasteca est tardive, ce qui ne manque pas d'être paradoxal puisque la proportion de la population parlant une langue indigène y avoisine 80 %. L'ancienne directrice du centre coordinateur indigéniste de Tancanhuitz signalait en 2003 : « Maintenant, ces municipes [de la Huasteca] sont indigènes. Avant [années 1980] ils ne l'étaient pas [26] ». Comment expliquer ce changement de perception ?

----

24. L'organisation s'est en effet scindée en deux fractions à la fin des années 1990.
25. Dans la région lacustre, la municipalité où vivent le plus de Purhépechas, Quiroga, compte 33,8 % d'habitants sachant parler une langue indigène lors du dernier recensement en 2000. Cette proportion descend à 7,8 % dans la ville de Pátzcuaro.
26. Entretien avec Alma Cervantes, 24 octobre 2003, San Luis Potosí.

Région tropicale périphérique de l'état du San Luis Potosí, la Huasteca a été dominée, de 1938 jusqu'aux années 1960, par la personne de Gonzalo Santos. Originaire de la Huasteca, le caudillo s'impose comme une figure politique nationale de premier plan ; il est l'intermédiaire unique du pouvoir central dans le San Luis Potosí, où son autorité présente des dimensions autoritaires et patrimoniales. Dans la Huasteca, il s'appuie sur la base sociale des éleveurs et des grands commerçants. Santos y contrôle de nombreux espaces : les médias, le commerce, la justice, mais aussi l'accès aux responsabilités politiques et administratives. Le racisme de la société se traduit par une discrimination envers les Indiens dans ces arènes.

Gonzalo Santos, porte-parole des éleveurs de la région, bloque un grand projet de développement par bassin hydraulique dont l'aire d'influence s'étendrait sur les territoires des états du Veracruz, du Tamaulipas et du San Luis Potosí : le projet Pujal-Coy. Au début des années 1970, le gouvernement de Luis Echeverría profite de la conjoncture politique locale pour affaiblir le pouvoir du cacique vieillissant : en 1973, un puissant mouvement de demandeurs de terres se développe dans la Huasteca. Cette dynamique, qui est lancée par un petit groupe politique soudé autour de la personnalité d'un leader charismatique, Eusebio García, prend pied sur une conjoncture sociale et démographique tendue. En effet, si la réforme agraire a permis de redistribuer près de 44 % des terres de la région, ces dernières sont aussi les moins fertiles et les plus difficiles d'accès. Du fait de la forte densité de la population, ces terres deviennent insuffisantes pour la survie des fils des _ejidatarios_ et des _comuneros_. Ainsi, bien qu'essentiellement composé par des individus parlant le teenek (huastèque) et le nahuatl, c'est en tant que paysans sans terre, et non des indigènes, que ceux-ci se mobilisent. Prenant pour cible les _latifundia_ possédés par les éleveurs, le « Campement Terre et Liberté » (CTL) réalise des invasions de terre, une marche vers Mexico, une grève de la fin, etc. Le gouvernement se sert du mouvement CTL pour légitimer son projet de développement régional et dépasser l'opposition des éleveurs. Les dirigeants du mouvement des demandeurs de terre sont officiellement invités à la table des négociations avec la direction de la commission du projet Pujal-Coy, pour répartir les terres expropriées dans le nord de la région.

La mise en œuvre du projet Pujal-Coy a impliqué une implantation massive des institutions publiques, tant dans la zone du projet que dans le reste de la Huasteca. Les différentes agences qui s'établissent sont animées par la même idéologie développementaliste, qui repose sur les postulats de la technicisation des pratiques agricoles, la spécialisation productive et de l'organisation collective des producteurs. Autour des anciens participants du mouvement CTL, la population se mobilise autour d'enjeux tels que l'accès au crédit, l'achat d'engrais, la construction d'entrepôts, etc. La structure territorialisée de la production agricole [27] facilite le regroupement des paysans

---

27. Avec une concentration de la culture de la canne à sucre et de la production de céréales dans les plaines, de mélasse et d'orange dans les vallées, et de café dans les montagnes.

en unions de producteurs et en unions d'*ejidos*. La mobilisation en appelle à l'identité paysanne « sectorielle » des villages (Union des producteurs de café, de mélasse, de canne à sucre, etc.). Bien qu'affaiblie par la crise économique des années 1980, cette dynamique d'action collective continue à mobiliser les paysans de la Huasteca sur une base professionnelle, à l'instigation des institutions publiques.

À l'orée des années 1980, un pluralisme contrôlé se développe au sein de la société régionale : les groupes ayant directement rejoint l'opposition sont rares, mais les paysans disposent d'une certaine liberté pour s'affilier aux organisations syndicales de leur choix. Aux côtés des organisations indépendantes se développe également le syndicat paysan officiel, la Confédération nationale paysanne (CNC), qui n'était pas implantée dans la région jusqu'alors. Mais cette liberté est contrôlée par les institutions publiques, qui entretiennent des relations clientélistes avec les leaders des organisations.

C'est indéniablement à la suite de l'insurrection zapatiste, en 1994, que la Huasteca Potosina s'est « indianisée », dans la mesure où l'ethnicité est devenue un argument du discours politique local. Plusieurs organisations indianistes, tant culturelles que politiques, sont créées dans la deuxième moitié des années 1990 ; par ailleurs, les communautés nahuas et teeneks ont conquis une nouvelle autonomie vis-à-vis des municipalités, en affirmant leur droit de nommer leurs autorités villageoises (juges communautaires et délégués municipaux), alors qu'elles étaient jusque-là nommées par la présidence municipale. Deux enjeux ont catalysé cette politisation : d'une part, les projets et les programmes de lutte contre la pauvreté, et d'autre part, la compétition électorale.

Depuis les années 1970, la Huasteca Potosina a été qualifiée comme une région marquée par une très forte marginalisation sociale, nécessitant des politiques d'assistance pour combler les lacunes de la région en terme d'équipement public, d'éducation, de santé. À partir de l'insurrection zapatiste, les regards se sont tournés vers les communautés indigènes, principales victimes de cette exclusion. Alors que, jusqu'à présent, seul l'Institut national indigéniste menait des programmes spécialement dédiés aux communautés indiennes, de multiples organismes redécouvrent la question ethnique. En 1994, la femme du gouverneur lance un programme destiné à l'alimentation et à l'éducation des enfants des communautés indiennes. Les municipalités profitent également de cette fenêtre d'opportunité en créant des associations pour le développement des communautés ou en faisant appel à des ONG qui travaillent avec les populations indiennes. L'ancienne maire de Tancanhuitz, qui a participé à la création d'une association pour les femmes indigènes dans sa municipalité, nous confiait que la période jouxtant l'insurrection zapatiste était particulièrement favorable pour trouver des financements non-gouvernementaux pour des projets bénéficiant aux populations indiennes. La crainte de la contagion révolutionnaire a en effet sensibilisé les organisations internationales, comme le PNUD, et les fondations privées, à la question indienne. Dans cette même dynamique, une organisation caritative évangéliste (Vision Mondiale) s'est implantée en 1999 à Tancanhuitz pour promouvoir et financer des projets relatifs à la santé, l'éducation et l'eau potable dans les communautés nahuas. Les autorités communautaires, les leaders d'organisations professionnelles tout comme les dirigeants d'association, sont conscients qu'en se revendiquant indigènes, ils maximisent les chances de financer leurs projets.

C'est également à cette époque que l'opposition remporte ses premiers succès dans les municipes ruraux de la région. Déjà, l'élection présidentielle de 1988 avait montré que les communautés pouvaient voter pour l'opposition (elles avaient alors porté massivement leurs suffrages vers la candidature de Cuauhtémoc Cárdenas). À mesure que les élections se succèdent, il devient clair qu'une élection ne se remporte plus seulement avec le soutien des notables de la ville, mais avec les suffrages du plus grand nombre. Dans les petites municipalités de la Huasteca, les habitants des communautés sont convoités par les candidats à la mairie et à la députation. Ces populations, qui occupaient un rôle subordonné dans la communauté politique locale, deviennent l'élément décisif pour remporter une élection [28]. Les candidats « outsiders » en particulier vont insister sur leur appartenance communautaire pour remporter le vote indigène. C'est ainsi qu'en 1997, dans les municipalités de San Antonio et de Tanlajas, des candidats affiliés respectivement au PAN et au PRD se font élire comme les candidats des communautés. Domingo R., premier président municipal d'opposition à Tanlajas (PRD), qui est également l'un des principaux leaders indianiste de la région, nous expliquait sa stratégie de la façon suivante : « Ici, il y a une opposition historique entre les habitants du chef-lieu, les "populaires", et ceux de la campagne, les "paysans" : secteur populaire, secteur paysan, ce sont les catégories que le PRI utilisait. Et justement, les ruraux étaient mécontents parce que le candidat du PRI venait du chef-lieu, alors ils n'ont pas voté pour lui. Moi, je viens d'une communauté, de la communauté de Santa Rosa. Et j'ai très bien su en tirer parti. (…) Cela faisait quelques années que la situation était devenue claire : à Tanlajas, ce sont les indigènes qui gouvernent [29]. » De fait, après avoir remporté les élections en 1997, il consolide la symbolique d'un pouvoir indigène en octroyant aux communautés une représentation dans la structure participative en matière de travaux publics municipaux, le « Conseil de Dhipak », dont le nom fait référence au dieu du maïs chez les Teeneks. De façon encore plus significative, une importante quote-part de postes est réservée aux indigènes au sein du conseil municipal et de l'administration municipale. À San Antonio, la nouvelle équipe du PAN élue en 1997 a initié un mouvement similaire de promotion des habitants des communautés dans les affaires municipales sans toutefois utiliser la symbolique identitaire déployée par le PRD à Tanlajas ; élue sous la bannière du PAN, la nouvelle

---

28. Julie Devineau, « Politiques publiques et pluralisation partisane dans la Huasteca Potosina » dans Danièle Dehouve & Marguerite Bey (dirs.), *La transition démocratique au Mexique : regards croisés*, Paris, L'Harmattan, 2006, pp. 153-182.
29. Entretien avec Domingo Rodríguez Martell, Tanlajas, 29 décembre 2003.

administration fait de la « bonne gestion » le maître mot de son programme de gouvernement.

L'insurrection zapatiste a donc donné un nouveau souffle aux leaders sociaux en quête de projets, et aux institutions gouvernementales à la recherche d'un public ; parallèlement, la démocratie locale s'est approfondie avec la participation directe des habitants des communautés indigènes dans la politique municipale. À la confluence de ces dynamiques, l'ethnicité n'est pas tant un moyen d'affirmer la différence, dans une société encore marquée par le racisme, qu'elle n'est attachée à des stratégies pour accéder aux responsabilités et aux biens collectifs qui ont longtemps été refusés aux habitants des communautés.

Conclusion

L'enjeu de ce travail était de proposer une lecture comparée des processus de politisation des identités ethniques en évitant plusieurs écueils : il importait de remettre en question l'équivalence entre identités sociales et identités politiques, ainsi que l'idée selon laquelle la politisation est une réponse automatique aux « stimuli » des institutions. En outre, plutôt que de présupposer un sens politique unique des mobilisations identitaires, il nous est apparu nécessaire de nous interroger, de façon empirique, sur les motivations politiques, sociales et économiques des acteurs qui s'engagent au nom de l'ethnicité. La revendication ethnique n'est pas une fin en soi. La politisation des identités culturelles est une ressource permettant de mobiliser des acteurs hétérogènes tout en créant une identité de plus en plus acceptable (et acceptée) par les institutions.

Si l'on observe depuis 1994 une homogénéisation des revendications des mouvements indigènes et des représentations politiques qu'ils véhiculent, les enjeux politiques et sociaux porteurs de mobilisation diffèrent d'une région à l'autre. La comparaison a permis de souligner l'importance qu'ont acquis les enjeux liés à la gestion des ressources naturelles dans la Sierra Juárez du Oaxaca, aux responsabilités publiques et politiques dans le Michoacán, et aux programmes de développement dans la Huasteca. Dans ces trois régions, une évolution commune est néanmoins perceptible, avec un déplacement et/ou une juxtaposition de la compétition du cadre agraire vers le cadre municipal, comme conséquence inattendue de la politique de décentralisation [30]. Mais même dans cette dynamique d'ampleur nationale, on relève que les stratégies des groupes indigènes pour optimiser cette nouvelle configuration sont variables : dans l'état d'Oaxaca, elles passent par l'obtention d'un budget pour toutes les communautés ; dans la Michoacán, les militants indianistes revendiquent une remunicipalisation de l'état ; dans la Huasteca Potosina enfin, ces stratégies passent par l'entrée des communautés rurales dans le jeu électoral municipal.

---

30. Cf. Danièle Dehouve, *La géopolitique des Indiens du Mexique. Du local au global*, Paris, CNRS éditions, 2003.

L'analyse régionale des mobilisations sociales indigènes infirme la thèse selon laquelle l'essor des revendications identitaires serait directement corrélé au désengagement économique de l'État des territoires ruraux [31]. Dans la Sierra Juárez, le mouvement communaliste est antérieur à la crise économique et budgétaire. Dans le Michoacán, l'impact de la crise économique a été modéré par la politique de Cuauhtémoc Cárdenas, qui a essayé de préserver un niveau d'intervention publique relativement élevé en milieu rural dans les années 1980. Dans la Huasteca, les revendications ethniques sont très tardives (fin des années 1990) et sont plus liées aux stratégies de conquête ou de conservation du pouvoir municipal qu'au désengagement de l'État de l'économie régionale.

En revanche, l'émergence de forces politiques indigènes requiert la création d'espaces publics locaux en cours de démocratisation, où l'équité progresse. Dans les trois états, les mobilisations indiennes contribuent à la formation d'espaces publics pluriculturels. L'image renvoie néanmoins à une fiction politique, dans la mesure où il n'existe pas de mécanismes de collaboration, voire de coexistence, entre les groupes.

---

31. Thèse soutenue par exemple par Deborah Yashar, *Contesting citizenship in Latin America : the rise of indigenous movements and the postliberal challenge*, Cambridge, New York, Cambridge University Press, 2005.

Mutations et déclin du Mouvement Pachakutik en Équateur (1996-2008)

Julie Massal *

Cet article se propose de retracer l'évolution du Mouvement d'unité plurinationale nouveau-pays pachakutik (ou Mouvement Pachakutik). Ce mouvement indien est le fruit de l'alliance de la Confédération des nationalités indigènes d'Équateur (CONAIE, créée en 1986), et d'une nébuleuse d'acteurs sociaux non indiens, principalement urbains. Cette alliance ample et hétéroclite s'est tissée à la faveur de la rencontre entre la CONAIE, devenue à partir du soulèvement national indien de juin 1990 un interlocuteur permanent du pouvoir, et des acteurs sociaux qui souhaitaient réformer profondément l'État et le système politique. Le Mouvement Pachakutik propose donc, à l'origine, une substantielle réforme de la démocratie, jugée formelle et insuffisante, ainsi que la reconnaissance d'un État plurinational [1].

Il émerge officiellement sur la scène politique en mai 1996, en participant aux élections présidentielle et législative, et s'affirme aussitôt comme la troisième force politique nationale. Mais dix ans plus tard, le Mouvement Pachakutik connaît un retentissant échec aux élections présidentielles d'octobre 2006. Ce parcours illustre une évolution similaire à celle d'autres mouvements de même nature [2] : une rapide montée en puissance politique

---

* Julie Massal est professeure assistante, IEPRI, université nationale de Colombie, Bogotá.

1. Julie Massal & Marcelo Bonilla, *Los movimientos sociales en las democracias andinas*, Quito, FLACSO-IFEA, 2000 ; Julie Massal *Les mouvements indiens en Équateur. Mobilisations protestataires et démocratie*, Paris & Aix-en-Provence, Karthala-CSPC-IEP, 2005.

2. Pour un bilan de la participation politique et électorale des mouvements indiens des Andes : León T. Jorge & al., *Participación política, democracia y movimientos indígenas en los Andes*, Embajada de Francia en Bolivia-IFEA-PIEB, La Paz, 2005, 181 p. Compte rendu en français par Julie Massal, dans la *Revue Transcontinentales*, Paris, Armand Colin, 2e semestre 2006, n° 3, pp. 150-151.

et un gain de légitimité nationale et internationale, puis un déclin électoral irrégulier (selon qu'il s'agit de scrutins locaux ou nationaux) mais affirmé. Il s'agit donc de comprendre les mutations subies par le Mouvement Pachakutik puis son déclin électoral, en insistant tant sur les facteurs conjoncturels que structurels de son évolution. Le système politique, qui semblait avoir accepté certaines demandes indiennes en les incorporant dans la Constitution de 1998, continue pourtant de faire obstacle à une véritable remise en cause des fondements et de la répartition du pouvoir. Ceci explique en partie les difficultés rencontrées par l'un des mouvements indiens les plus crédibles d'Amérique latine parmi ceux visant à incarner une alternative politique viable à long terme [3].

Soulignons néanmoins que le déclin électoral ne préjuge en rien d'un échec politique global des acteurs indiens, en Équateur ou ailleurs, car ceux-ci ont joué un rôle politique et symbolique majeur, en suscitant un débat politique à la fois sur les fondements de l'État-Nation et sur l'essence et l'exercice de la démocratie en Amérique latine. Ceci étant, leur relatif échec électoral reflète le fait que, paradoxalement, l'un des acteurs ayant participé à la redéfinition des règles du jeu en faveur d'une consolidation de la démocratie se retrouve exclu en partie ou totalement du pouvoir et des fruits du développement économique et social.

LES ORIGINES D'UN MOUVEMENT NON EXCLUSIVEMENT INDIEN, FRUIT D'UNE AMPLE MOBILISATION SOCIALE

L'alliance entre la CONAIE et les acteurs urbains

Le Mouvement Pachakutik présente l'originalité de constituer une alliance entre Indiens et Blancs-Métis (c'est ainsi que l'on nomme en Équateur les individus ne revendiquant pas d'appartenance à un groupe indien), en réunissant une nébuleuse d'acteurs sociaux : organisations écologistes ; acteurs du secteur public qui souhaitent défendre leur statut et les services publics ; mais aussi organisations citoyennes urbaines, acteurs universitaires, etc., tous mobilisés pour renforcer l'État et le prémunir contre un modèle de développement néolibéral jugé néfaste. Il s'agit également de réformer le système politique afin de redistribuer le pouvoir, en le décentralisant, et promouvoir, à plus long terme, une démocratie participative. Enfin, au sein du mouvement, la CONAIE prône la reconnaissance constitutionnelle d'un État plurinational et pluriculturel, c'est-à-dire qui reconnaisse officiellement la diversité culturelle et accepte l'idée de représenter politiquement les groupes indiens définis comme des « nationalités indiennes [4] ».

---

3. Donna Lee Van Cott, « Cambio institucional y partidos étnicos en Suramérica », *Análisis Político*, Bogotá, IEPRI-U. Nacional, Enero-abril 2003, n° 48 pp. 26-51.

4. Au nombre d'une dizaine au moment où se produit ce débat : cf. le *Projet politique* de la CONAIE, Quito, 1997. Ces « nationalités » se subdivisent à leur tour en « peuples indiens », eux-mêmes organisés en communautés.

Cette alliance entre Métis et Indiens, qui constitue non seulement une originalité mais aussi un atout, résulte de la construction progressive, au cours de la décennie 1990, de liens et d'objectifs communs entre la CONAIE et les acteurs sociaux mentionnés, qui jugent indispensable une profonde réforme politique, sociale et culturelle. Cette alliance réunit donc des acteurs indiens issus des organisations paysannes, et des mouvements sociaux principalement urbains. Les prémices d'une telle alliance se situent dans les mutations politiques de la décennie 1980, qui ont conduit au déclin des syndicats des années soixante-dix. Affaiblis par une certaine répression politique sous le gouvernement León Febrés Cordero (1984-1988), ceux-ci se sont dissous et leurs dirigeants se sont intégrés aux jeunes organisations indiennes naissantes, elles-mêmes issues des mouvements paysans. Ce transfert de dirigeants sociaux a alimenté en partie la direction des mouvements indiens et favorisé une certaine connivence (non exempte de conflits idéologiques sur la compatibilité entre lutte des classes et reconnaissance des identités indiennes), entre acteurs indiens et organisations de formation marxiste.

En outre, sur le plan économique, à partir de 1992, le modèle néolibéral, caractérisé notamment par une libéralisation du secteur bancaire, la privatisation des secteurs publics et l'affaiblissement de la sécurité sociale, suscite une résistance accrue des secteurs opposés à la privatisation des services publics et des ressources naturelles stratégiques (pétrole, eau, biodiversité). La réaction des acteurs urbains rejoint en partie la préoccupation des mouvements indiens qui, en milieu rural, sont confrontés à la privatisation des ressources naturelles et de l'accès à l'eau (1994), et à une réforme de la propriété foncière défavorable aux petits paysans [5].

C'est ainsi que naît, en 1994, un front entre différentes organisations indiennes et paysannes, syndicats du secteur énergétique et divers acteurs urbains. Ce front se renforce en repoussant diverses tentatives de réforme néolibérale, notamment de la sécurité sociale, promues lors de deux référendums par le gouvernement de Sixto Durán (1992-1996). Il donne naissance, en février 1996 au Mouvement Pachakutik, initialement constitué par la CONAIE, la Coordination de mouvements sociaux (CMS) et le Mouvements des citoyens pour un nouveau pays (MCNP) issu de l'université de Cuenca et représenté par le journaliste de télévision Freddy Ehlers (mais le MCNP se détache, dès novembre 1997, du Mouvement Pachakutik).

Cette alliance évolue cependant de façon irrégulière, entre soubresauts et déclin, dans la décennie 1996-2006 ; et c'est lorsqu'elle faiblit que le mouvement Pachakutik décline sur le plan électoral. Divers facteurs tendent à la diviser, principalement des divergences idéologiques de fond quant à l'État plurinational, revendication qui est loin de faire l'unanimité. De fait,

---

5. Pour une analyse des effets du modèle néolibéral sur le mouvement indien : Deborah Yashar, "Democracy, indigenous movements and the post-liberal challenge in Latin America", *World Politics : A Quaterly Journal of International Relations*, octobre 1999, n° 52, pp. 76-104.

une profonde division perdure entre les acteurs de formation marxiste et une nouvelle génération de jeunes dirigeants indiens, davantage axés sur la nécessaire reconnaissance des identités indiennes et leur représentation politique. Ces clivages se retrouvent non seulement entre les différentes composantes de Pachakutik, mais aussi au sein des organisations locales qui composent la CONAIE.

Pour enrayer ces divisions, la direction de la CONAIE représentée par Luis Macas (1993-1997) tente d'adoucir cette requête, en revendiquant surtout un État pluriculturel, fondé sur la reconnaissance de la diversité culturelle, et en insistant moins sur les implications politiques de cette reconnaissance. La CONAIE obtient d'ailleurs gain de cause en 1998, lorsque la Constitution admet l'existence de « peuples qui s'auto-définissent comme des nationalités aux racines ancestrales » et leur octroie un certain nombre de droits collectifs (articles 83 et 84) [6]. L'État plurinational n'est certes pas reconnu en tant que tel, mais la revendication majeure est cependant satisfaite, sur le papier.

Le choix de la participation au sein du système politique

La formation du mouvement Pachakutik obéit à un virage stratégique en faveur de la participation au système politique en vigueur. Ce virage est amorcé en 1993, au sein de la CONAIE, et s'il ne fait pas l'unanimité parmi les organisations indiennes locales, il est progressivement soutenu par les alliés de la CONAIE, désireux d'accéder au pouvoir et de réformer l'État. Un tel changement de stratégie est favorisé par une plus forte crédibilité de la CONAIE sur le plan politique, grâce à la capacité de mobilisation dont elle fait preuve lors des soulèvements nationaux de 1990 et 1994 et de la marche des organisations amazoniennes de 1992 ; trois moments de forte mobilisation à l'échelle nationale, qui octroient une réelle visibilité au mouvement social indien incarné par la CONAIE, devenue l'interlocuteur légitime du pouvoir. Cela permet à la CONAIE d'aspirer à une participation politique autonome à l'égard des partis politiques dits traditionnels, qui ont longtemps tiré profit du vote indien. Le défi est donc de créer un nouvel acteur

---

6. Les principaux droits collectifs (il y en quinze énumérés dans la Constitution, Titre III, chapitre V, section première, art. 84) sont : 1. Conserver la propriété imprescriptible des terres communautaires, qui seront inaliénables, incessibles et indivisibles, sauf en ce qui concerne celles pour lesquelles l'État a faculté à déclarer l'utilité publique. Ces terres seront exemptées de l'impôt foncier ; 2. Participer à l'usage, l'usufruit et l'administration des ressources naturelles renouvelables qui se situent sur leurs terres ; 3. Être consultés sur les plans et programmes de prospection et d'exploitation des ressources non renouvelables qui se trouvent sur leurs terres, qui peuvent les affecter écologiquement ou culturellement ; participer aux bénéfices qui seraient issus de ces programmes, dès que possible, et recevoir des indemnités pour les préjudices sociaux et écologiques qui en résulteraient ; 4. Ne pas être déplacés, comme peuples, de leurs terres ; 5. Voir reconnue la propriété intellectuelle collective de leurs savoirs ancestraux ; et [le droit à] la valorisation, à l'usage et au développement de ceux-ci conformément à la loi ; 6. Accéder à une éducation de qualité. Compter avec le système d'éducation interculturelle bilingue.

politique, susceptible de conquérir ce vote indien en le détournant des partis traditionnels, notamment de droite ou de type populiste, fort bien ancrés dans les régions où la population indienne est majoritaire (Sierra centrale et du nord). Toutes ces raisons expliquent le choix des acteurs indiens réunis au sein de la CONAIE de composer avec leurs alliés sociaux un mouvement politique nouveau pour les représenter politiquement.

L'ASCENSION IRRÉGULIÈRE DU MOUVEMENT PACHAKUTIK ET LE TOURNANT DU 21 JANVIER 2000

Une évolution électorale irrégulière

Les élections générales de mai 1996 reflètent le succès immédiat du Mouvement Pachakutik, qui tient à deux raisons. En premier lieu, ce mouvement bénéficie de façon conjoncturelle d'un effet indéniable de nouveauté, au sein d'un système politique dominé, depuis le retour à la démocratie en 1979, par quatre partis [7]. Ainsi, il représente une alternative inédite, dans le contexte d'un débat sur le discrédit de la classe politique « traditionnelle ». En 1996, la campagne est dominée par deux partis, l'un de centre droit, l'autre de type populiste de droite : le Parti social chrétien (PSC) et le Parti roldosiste équatorien (PRE). Toux deux partagent une base électorale similaire (l'électorat de la Costa) et doivent conquérir, pour faire la différence, l'électorat indien de la Sierra. Face à eux, Pachakutik incarne une offre politique identifiée comme étant de gauche.

C'est la deuxième raison du succès : Pachakutik vise à mobiliser un électorat qui se sent dépourvu de représentation, et ne prétend pas s'adresser exclusivement aux populations indiennes (dont la proportion demeure difficile à évaluer, les chiffres variant de 7 à 45 % selon les sources [8]), mais bien à « l'ensemble des exclus du système politique et du développement économique ». Pachakutik capte une partie importante du vote urbain blanc-métis, notamment des deux villes majeures de la Sierra, Quito et Cuenca ; vote qui provient d'un électorat partagé entre ceux qui émettent un vote protestataire, et les sympathisants de ce nouveau porte-parole des « sans

---

7. Ce sont le Parti roldosiste équatorien (PRE, 1982), le Parti social chrétien (PSC, 1951), la Gauche démocratique (ID, 1972) et la Démocratie populaire (1978).

8. Selon le recensement de 2001, la population indienne représente 6,8 % de la population totale. Les recensements se fondent sur des critères variables dans le temps ; celui-ci utilise le critère de l'autodéfinition. D'autres sources (José Sánchez-Parga, *Escolarización y bilingüismo en la Sierra Ecuatoriana*, Quito, Centro Andino de Acción Popular, 1991) évoquent le chiffre de 7,1 %, en se basant sur l'usage d'une langue indienne et l'appartenance à une communauté indienne. Une étude plus précise (León Zamosc, *Estadística de las áreas de predominio étnico de la Sierra ecuatoriana : población rural, indicatores cantonales y organizaciones de base*, Quito, Abya Yala, 1995) évalue la population indienne à 35 % de la population totale. R. Santana (*Les Indiens d'Équateur, citoyens dans l'ethnicité ?*, Toulouse-le Mirail, GRAL-CNRS, 1992) évoque le chiffre de 45 %. Il est donc délicat d'évaluer l'électorat indien au niveau national.

voix ». Son candidat à l'élection présidentielle en mai 1996, Freddy Ehlers, obtient 20,6 % des voix, se classant ainsi troisième, tandis que Pachakutik obtient aux élections législatives du 19 mai huit députés, devenant ainsi la quatrième force politique nationale.

Mais on constate d'ores et déjà que son assise électorale est fragile, déséquilibrée sur le plan national et même régional, centrée sur certaines villes et provinces de la Sierra. De plus, il n'a pas su capter le vote indien rural des provinces majoritairement indiennes, plutôt acquises au PRE d'Abdalá Bucaram (le vainqueur de l'élection présidentielle), deuxième force politique nationale en 1996. Ainsi, malgré le réel succès de 1996, les bases électorales de Pachakutik s'avèrent plutôt urbaines et moins indiennes qu'espéré.

L'évolution électorale s'avère par la suite irrégulière, alternant succès et échecs sur le plan local ou national. Ainsi, aux élections présidentielle et législative de 1998, le Mouvement Pachakutik décline, affaibli du fait de divisions internes et de flottements dans sa stratégie électorale [9], pour devenir la cinquième force politique. Il se reconstitue toutefois lors des élections municipales et autres élections locales de 2000, puis aux élections générales de 2002. Enfin Pachakutik faiblit de nouveau lors des scrutins locaux d'octobre 2004 et aux scrutins nationaux, présidentiel et législatif, de l'automne 2006.

Cet échec est en partie lié à des erreurs sur le plan stratégique et à une modification des règles du jeu politique en faveur des partis traditionnels qui se sont renforcés. Mais la faiblesse électorale de Pachakutik est aussi due à la dispersion du vote indien. Des organisations indiennes soutiennent d'autres forces politiques, notamment d'obédience évangéliste, qui rivalisent donc avec Pachakutik dans la conquête de l'électorat indien. Ainsi, la CONAIE et Pachakutik doivent sans cesse reconquérir les populations indiennes, face à une offre politique rivale de plus en plus solide.

Cette évolution irrégulière est également liée à la capacité de pression fluctuante du Mouvement Pachakutik et de la CONAIE sur le système politique équatorien. En effet leur rôle varie, durant les principaux événements qui ont marqué la vie politique équatorienne depuis quinze ans. Ces événements sont : le tournant stratégique que constitue le coup d'État de janvier 2000, auquel participe la CONAIE ; les élections de 2002 et la participation gouvernementale du Mouvement Pachakutik en 2003. Nous reviendrons sur leur impact ultérieurement. Mais indépendamment des événements, des lignes de divisions persistent entre la CONAIE (organisation sociale revendicative) et Pachakutik (mouvement politique), reflet des dissensions internes à la CONAIE. Faute d'accord sur la stratégie électorale, il en résulte

---

9. Pachakutik choisit sans conviction F. Ehlers comme candidat bien que ce dernier se soit distancé dès 1997 du mouvement. De plus, un ensemble de réformes électorales applicables dès 1998 favorise les partis traditionnels. Enfin, l'offre politique lors de cette élection dessine un scénario peu propice et l'effet de nouveauté s'est déjà fort atténué.

des choix contradictoires qui finissent par ternir leur crédibilité auprès des populations indiennes.

L'évolution électorale du Mouvement Pachakutik en dents de scie ne signifie cependant pas que la CONAIE suive la même trajectoire. Celle-ci dispose d'une capacité de mobilisation sociale autonome, pas nécessairement liée à la force électorale du Mouvement Pachakutik. Raison pour laquelle il convient d'insister sur la distinction entre déclin électoral et influence politique des acteurs indiens. Le destin de la CONAIE ne se confond pas avec celui du Mouvement Pachakutik, bien qu'elle en soit l'un des principaux membres.

La participation de la CONAIE au coup d'État du 21 janvier 2000

Le coup d'État du 21 janvier 2000 constitue un tournant stratégique pour la CONAIE et affaiblit le Mouvement Pachakutik. Malgré son relatif déclin en 1998, ce dernier représente toujours un acteur de poids au sein du système politique équatorien, puisqu'il repose sur la force de mobilisation sociale de la CONAIE, particulièrement importante en 1997-2000. Le Mouvement a su conquérir une représentation législative et fait partie du système institutionnel. Il refuse donc d'appuyer la CONAIE, lors du coup d'État du 21 janvier 2000, lorsque celle-ci noue une alliance *a priori* insolite avec les forces armées, car cela remet en cause la stratégie de conquête du pouvoir par la voie électorale, avec pour horizon l'arrivée au pouvoir en 2006, selon l'objectif annoncé par la CONAIE. Sans analyser ici de façon détaillée les fondements d'une telle alliance et le contexte dans lequel elle a lieu [10], évoquons brièvement quelques éléments qui expliquent cette alliance de la CONAIE et l'armée.

Historiquement, les forces armées, en Équateur, se veulent le représentant légitime du peuple, contre des élites conservatrices peu soucieuses de l'intérêt général, et des partis politiques jugés peu représentatifs. Néanmoins, il existe au sein de l'institution militaire deux visions distinctes du développement national, et partant, de la relation qu'il convient d'entretenir avec les acteurs indiens : répression ou intégration. Les partisans de la répression sont convaincus que l'État se confond avec la Nation ; dès lors, la revendication d'État plurinational prônée par la CONAIE est assimilée à une volonté de sécession et à ce titre jugée inadmissible. Cette branche « conservatrice », dominante, est donc plutôt hostile aux mouvements indiens qu'elle juge potentiellement subversifs. Au contraire, une branche « progressiste » de l'armée prône une option intégratrice, accepte la légitimité des revendications indiennes de l'État pluriculturel, voire de la plurinationalité, et affiche sa préoccupation pour l'ampleur de la pauvreté et la marginalisation des populations indiennes. Cette branche juge nécessaire la canalisation (et le

---

10. Julie Massal, *Les mouvements indiens en Équateur. Mobilisations protestataires et démocratie*, *op.cit.*, chap. 8.

contrôle) des demandes sociales indiennes, tout en développant le rôle social de l'armée auprès des populations les plus démunies.

En janvier 2000, l'armée de terre, principale protagoniste du coup d'État, obéit plutôt à la vision intégratrice. En outre, elle a de profonds motifs internes pour s'opposer au président, Jamil Mahuad (1998-2000), notamment la réduction de son budget après la signature de la paix avec le Pérou (1998), et la redéfinition de son rôle social et économique, en situation de grave crise économique (1999). Des officiers de haut rang tissent donc une alliance avec la CONAIE et les mouvements sociaux, profondément hostiles au gouvernement du fait de sa politique économique. La décision de l'armée de priver J. Mahuad de son appui intervient lorsque le président annonce la dollarisation de l'économie, le 9 janvier 2000. L'armée argue du rejet populaire massif à l'encontre de J. Mahuad [11] pour lui dénier son soutien, l'obligeant à fuir. Durant quelques heures, un triumvirat incarné par Lucio Gutiérrez, colonel de l'armée de terre, Antonio Vargas, président de la CONAIE, et Carlos Solorzano, représentant des mouvements sociaux, prend le pouvoir, avant d'être à son tour contraint de le céder au vice-président Gustavo Noboa, sous la pression du Haut Commandement militaire [12].

La participation de la CONAIE au coup d'État engendre un conflit avec le Mouvement Pachakutik, dont les députés, élus en 1998, refusent de démissionner comme le leur demandait la CONAIE. Les dirigeants de Pachakutik craignent un discrédit du mouvement politique indien. Toutefois Pachakutik obtient un succès électoral certain en mai 2000 aux élections municipales et provinciales, ce qui lui permet de postuler en position de force pour les élections générales en 2002.

Suite au coup d'État, des alliances entre différents officiers retirés, membres du parti créé par L. Gutiérrez (Parti société patriotique, PSP), en juillet 2000, et les acteurs indiens et sociaux, se sont tissées. Ces alliances débouchent sur un accord faisant de Lucio Gutiérrez, ex-colonel de l'armée, amnistié par le Congrès (mai 2000), le candidat du Mouvement Pachakutik aux élections générales de l'automne 2002, choix qui ne fait toutefois pas l'unanimité. Cependant, L. Gutiérrez conquiert la présidence en novembre 2002 avec 55 % des voix, grâce au soutien d'une ample coalition des mouvements sociaux, de la CONAIE et Pachakutik [13], et entre en fonction le 15 janvier 2003.

---

11. Ce rejet tient à une brutale paupérisation, fruit de la crise économique et bancaire de 1999, encore accentuée par les mesures prises pour éviter la fuite des capitaux et organiser le sauvetage des banques, telles que le gel des comptes des épargnants, pour un an d'abord, puis pour dix ans.

12. Sur les événements du 21 janvier 2000 : *Dossier* de la Revue *OSAL*, CLACSO, Buenos Aires, junio de 2000, pp. 5-37.

13. Massal Julie, « Le discours de la surprise électorale en contexte de démocratisation. L'exemple des élections équatorienne et bolivienne en 2002 », dans Olivier Dabène, Michel Hastings & Julie Massal (dirs), *La surprise électorale. Paradoxes du suffrage universel*, Aix-en-Provence, Karthala-CSPC-IEP, 2007, 262 p., pp. 107-126.

LA PARTICIPATION GOUVERNEMENTALE DE PACHAKUTIK EN 2003 ET SES CONSÉQUENCES.

Pachakutik est à l'origine d'une expérience inédite (antérieure à l'ascension au pouvoir d'Evo Morales en Bolivie, en décembre 2005), lorsqu'il participe au pouvoir exécutif, au sein du gouvernement de Lucio Gutiérrez, en 2003. Cette expérience qui apparaissait comme une opportunité historique pour les Indiens est pourtant un flagrant échec. Cela tient tout d'abord aux faiblesses et erreurs de Pachakutik : il perd du crédit auprès des bases en imposant des candidats peu visibles et non reconnus dans les régions indiennes, adopte des pratiques décriées par les bases dans sa façon de faire campagne, et ne dispose pas d'une base militante suffisante capable de le faire connaître en dehors des périodes de mobilisation électorale. Mais l'échec est aussi lié aux obstacles que le système politique oppose aux acteurs indiens, qui restreignent la marge de manœuvre du Mouvement Pachakutik qui, en tant que mouvement politique [14], est autorisé par la loi sur les acteurs politiques indépendants (1996) à se présenter aux élections mais ne bénéficie pas des financements publics que reçoivent les partis politiques ; de façon générale, les conditions d'une compétition politique égalitaire ne sont pas réunies.

Les répercussions négatives de la participation au gouvernement

Au sein du gouvernement Gutiérrez, le Mouvement Pachakutik compte six ministres [15], qui n'ont pas un budget suffisant pour agir et ont peu de marge de manœuvre politique ; en outre ils se trouvent bientôt en contradiction avec la politique économique suivie par L. Gutiérrez qui, renonçant à ses promesses électorales, se rapproche des États-Unis et du Fonds monétaire international, menant alors une politique économique erratique mais contradictoire avec son opposition de principe au néolibéralisme. Il en résulte de fortes divisions entre Pachakutik et L. Gutiérrez. Mais le mouvement politique tente de se maintenir au pouvoir, malgré la distance prise par la CONAIE et l'ensemble des mouvements sociaux envers L. Gutiérrez. Pourtant, le vice Premier ministre jette l'éponge en juin et deux autres ministres sont remerciés peu après. Le départ définitif de Pachakutik, en position de faiblesse et sous la contrainte, intervient le 6 août 2003 [16].

---

14. La loi en question reconnaît à la fois la possibilité pour des figures individuelles et des mouvements politiques (qui refusent de se constituer en partis) de participer aux élections en tant « qu'indépendants ». Les mouvements politiques n'obéissent pas aux règles de fonctionnement édictées par les lois sur les partis politiques depuis 1978.

15. Ce sont Virgilio Hernández, vice Premier ministre ; Luis Macas, ministre de l'Agriculture, Nina Pacari, ministre des Affaires étrangères, et trois autres ministres (éducation, bien-être social, tourisme), ainsi qu'un délégué chargé de la décentralisation, Augusto Barrera.

16. Julie Massal, « La participation du Mouvement Pachakutik au pouvoir en 2003 : une expérience originale de citoyenneté multiculturelle en Équateur ? », dans Jean-Michel Blanquer & al. (dir.), *Voter dans les Amériques*, Paris, IHEAL-La Sorbonne-Institut des Amériques, 2005, pp. 263-272.

Le mouvement indien social et politique en sort très affaibli et discrédité, faute de réaliser de véritables innovations politiques. De plus sa pratique politique et le fait qu'il soit en contradiction avec la politique économique de L. Gutiérrez le conduisent à se comporter en mouvement d'opposition. Cela ravive l'idée, chez ses adversaires, qu'il s'agit d'un acteur forgé dans la protestation de rue, mal préparé pour l'exercice du pouvoir. Enfin, Pachakutik souffre de faiblesses intrinsèques qui l'empêchent bel et bien d'exercer le pouvoir : un manque de cadres formés et aptes à prendre en charge des dossiers épineux (d'ordre économique) et un manque de rénovation de ses dirigeants.

À cela s'ajoute une coupure entre les élites dirigeantes du mouvement et les militants de base au niveau local, qui ne se sentent ni consultés ni représentés. Cette coupure, visible dès 1998 [17] et qui n'a fait que s'accentuer depuis, explique la faible légitimité des décisions des dirigeants indiens auprès de leurs bases. Ainsi des militants ou des membres des communautés indiennes expriment un profond scepticisme ou une indifférence face au discours de la plurinationalité, fer de lance de la CONAIE ; le choix d'appuyer telle ou telle candidature électorale suscite des divisions locales. Dès lors, Pachakutik perd du crédit auprès des populations indiennes et des secteurs de population qui l'ont soutenu électoralement. Sa difficulté à incarner une alternative politique accentue le mécontentement d'une fraction de la CONAIE, opposée depuis toujours à la participation au sein du système politique [18]. De son côté, la CONAIE est discréditée auprès des communautés indiennes, cooptées par la politique clientéliste intensive du parti de Lucio Gutiérrez. Ce dernier ramène les populations indiennes dans le giron d'un gouvernement plus paternaliste qu'intégrateur, tout en divisant les organisations indiennes et en décrédibilisant Pachakutik.

Cette fracture du mouvement indien se reflète aux élections locales de 2004, Pachakutik réalisant un score mitigé : il obtient vingt-trois mairies, dont cinq grâce à diverses alliances locales, et quatre préfectures provinciales, dont deux en alliance [19]. C'est un score en régression par rapport à 2000, où il obtenait à lui seul cinq préfectures et vingt-sept mairies. Toutefois, comme le montrent les résultats électoraux depuis 1996, le problème de fond que rencontre le Mouvement Pachakutik est une représentation territoriale fort instable d'une élection à l'autre, et en l'occurrence, à la fois peu consolidée dans certaines zones de population indienne majoritaire et en voie d'effritement dans les secteurs urbains de la Sierra. Il ne dispose pas non plus d'une véritable assise électorale dans la région de la Costa. Cependant, des dynamiques locales contradictoires selon les types de scrutin

---

17. Entretiens à Otavalo, auprès de militants du Mouvement Pachakutik, mai-août 2008.
18. En particulier, divers représentants de la CONAIE mais aussi de Pachakutik étaient opposés à l'alliance avec L. Gutiérrez. Entretiens conduits en août 2003 à Quito, après la rupture avec le gouvernement.
19. *El Comercio*, 19 octobre 2004.

rendent complexe une évaluation nationale du mouvement social indien, qui faiblit dans certaines zones (Imbabura, Bolivar, Sucumbios) mais se fortifie ailleurs (Cotopaxi).

Les obstacles opposés par le système politique

Plus fondamentalement, les va-et-vient de la conquête du pouvoir, au niveau national mais aussi local, mettent en évidence le double défi auquel sont confrontés les acteurs indiens. Le premier est de transformer le Mouvement Pachakutik en acteur politique stable, sans toutefois se convertir en parti politique assimilable aux partis traditionnels, donc sans adopter leurs pratiques les plus décriées : l'absence de démocratie interne et l'usage du clientélisme. Or, sur le premier point, l'échec de Pachakutik est patent : les idéaux de consultation horizontale et permanente des bases se sont évanouis dès 1998 ; celles-ci se sentent peu prises en compte même en période de campagne électorale ; enfin la faible rénovation interne des dirigeants suscite maintes critiques, parfois tacites mais non moins vives. Ainsi, Pachakutik n'est pas parvenu à incarner une alternative foncièrement distincte des partis en termes de pratiques.

Le second défi, corollaire du premier, est de se substituer durablement aux partis politiques dits traditionnels, si discrédités soient-ils, car ces derniers disposent d'une emprise sur leur électorat extrêmement forte, y compris via la coercition. Or, en tant que mouvement politique, Pachakutik dispose de moins de ressources que les partis (loi de 1996). Il n'a donc pas la possibilité de rivaliser avec la politique clientéliste des partis traditionnels. Une fois dissipée la séduction de la nouveauté, Pachakutik, discrédité par son échec gouvernemental, souffre de limites majeures qui l'empêchent de s'imposer durablement face à ses concurrents.

Bien que les mouvements indiens aient contribué par leur mobilisation, dans les décennies 1980-1990, à modifier quelque peu les règles du jeu politique et électoral, et aient pesé en faveur d'une relative démocratisation du système politique, ils n'ont pas toujours pu ou su en bénéficier. Les partis politiques traditionnels, déstabilisés en 1994, ont eux aussi mené une offensive, en 1994-1998, conduisant à des réformes politiques et électorales qui confirment leur prééminence. À ce contexte peu propice s'ajoutent les résultats décevants de la participation du Mouvement Pachakutik au gouvernement Gutiérrez. Cela permet de comprendre l'échec aux élections présidentielles de 2006, où le candidat du mouvement Pachakutik, Luis Macas (leader historique de la CONAIE), obtient 2,1 % des suffrages exprimés, le Mouvement Pachakutik devenant la sixième force politique nationale.

Déclin électoral, affaiblissement du mouvement social et marginalisation politique

Le faible résultat électoral de Luis Macas et du Mouvement Pachakutik aux élections présidentielle et législative (il n'obtient que sept députés sur

100) en octobre 2006 témoigne de l'effondrement de cette force politique [20]. Celui-ci confirme l'affaiblissement de la CONAIE en tant que mouvement social, manifeste durant la « rébellion des *forajidos* » qui débouche sur le renversement de Lucio Gutiérrez en avril 2005. À cette occasion, pour la première fois depuis 1990, la CONAIE joue un rôle mineur [21], ne parvenant ni à se mobiliser assez tôt pour marcher vers Quito, comme elle l'avait fait lors du coup d'État de janvier 2000, ni à participer aux manifestations qui se déroulent à Quito du 13 au 20 avril [22]. Cette rébellion, à la différence des soulèvements indiens, qui occupent l'espace urbain mais proviennent des campagnes, est conduite par les mouvements étudiants et résulte d'une mobilisation exclusivement urbaine, principalement centrée à Quito.

Ainsi, l'affaiblissement du mouvement social indien coïncide-t-il avec son effondrement électoral, alors que ces deux dynamiques avaient évolué de façon distincte jusqu'en 2006. Le défi que rencontre Pachakutik, en tant que mouvement politique, et la CONAIE, en tant qu'organisation protestataire, est d'éviter une marginalisation définitive. L'échec de Luis Macas mériterait un examen plus détaillé. Cependant, il confirme une tendance déjà perceptible en 2002, lorsque Antonio Vargas, ex-président de la CONAIE, se présente, hors Pachakutik, et tente de capter le « vote ethnique » : il obtient tout juste 1,6 % des voix. Les tentatives d'auto-représentation des Indiens par les Indiens ont manifestement échoué. Il est cependant prématuré de conclure à l'extinction des mouvements indiens. Ceux-ci ont conquis une représentation politique qu'il est peu probable de voir aujourd'hui remise en question, mais ils doivent reconstituer leurs alliances avec d'autres acteurs sociaux.

La relation avec le nouveau gouvernement équatorien s'avère pourtant elle aussi tourmentée et témoigne du retour de la CONAIE dans l'opposition, après que celle-ci ait rompu les relations avec le président R. Correa, en mai 2008. Si, depuis l'automne 2006, la CONAIE souhaitait une assemblée constituante dotée des pleins pouvoirs et, en ce sens, appuyait sa convocation par le président qui en avait fait son principal cheval de bataille [23], elle considère néanmoins que le nouveau projet de Constitution ne présente pas de véritables innovations en faveur des peuples indiens, comparé à la Constitution de 1998. Aussi, peu avant le référendum du 28 septembre 2008 sur le nouveau texte constitutionnel, la CONAIE exprime son appui critique

---

20. Au sein du mouvement Pachakutik et de la CONAIE, cette analyse est partagée par certains dirigeants et militants, qui voient aussi le mouvement s'effondrer aux élections locales dans certains bastions. D'autres parlent d'un avertissement : *El Comercio*, 30 octobre 2006 : « La división indígena se sintió en las urnas ».

21. Comme l'admet son vice-président, Santiago de la Cruz. Quito, entretien, 28 avril 2005.

22. Sur la « Rébellion des *Forajidos* » : Dossier de la Revue *Iconos*, Quito, Flacso-Ecuador, n° 23, 2005.

23. *El Comercio*, 13 février 2007 (entretien avec Luis Macas sur la relation de la CONAIE avec le président Correa). Cependant, des désaccords existent entre la CONAIE et Pachakutik au sujet de l'étendue des pouvoirs de l'Assemblée : *El Comercio*, 21 février 2007.

au projet officiel de Constitution élaboré par l'Assemblée, tout en soulignant que ses revendications concernant la mise en œuvre de l'État plurinational n'ont pas été prises en compte [24]. La Constitution est d'ailleurs approuvée par référendum et le Mouvement Pachakutik la considère comme une étape sur le chemin de l'État plurinational. Mais la CONAIE affirme ne pas soutenir Rafael Correa [25], car elle est en désaccord avec sa politique minière et énergétique, du fait du refus du président de consulter les communautés indiennes quant à l'exploitation des ressources du sol et sous-sol se trouvant sur le territoire des communautés, et ce, bien que le principe de consultation ait été admis dans l'article 84 de la Constitution de 1998 au sujet des droits collectifs des peuples indiens.

Toutefois, les Indiens sont favorables à certaines des positions présidentielles sur le plan international, telles que le refus du traité de libre commerce entre l'Équateur et les États-Unis (ce traité, en négociation jusqu'aux fortes mobilisations indiennes à son encontre en juin 2006, est laissé de côté une fois R. Correa parvenu au pouvoir), et le non-renouvellement de l'accord qui permet aux États-Unis de disposer de la base militaire de Manta pour lutter contre le narcotrafic en Colombie (l'accord expire en 2009).

En dépit de ces convergences, et bien qu'il soit encore un peu tôt pour en juger, la présence au pouvoir d'un président pourtant considéré, au niveau international, comme proche des projets de gauche les plus radicaux (ceux d'Hugo Chávez au Venezuela et d'Evo Morales en Bolivie) et partisan du socialisme du XXIe siècle, ne semble guère favorable à la reconstitution du projet politique indien du Mouvement Pachakutik, du fait du démantèlement de la CONAIE depuis 2003. Cependant, d'autres organisations indiennes (notamment la Fédération nationale des organisations paysannes, indigènes et noires d'Équateur, FENOCIN, et la Fédération évangélique indienne et noire d'Équateur, la FEINE), rivales de la CONAIE, s'affirment au plan national et leur rôle politique devra faire l'objet d'études attentives.

CONCLUSION

La conquête par les acteurs indiens du pouvoir politique et des espaces institutionnels de représentation illustre une ascension rapide puis un net affaiblissement des mouvements indiens représentés par la CONAIE, le point de rupture se situant en 2003, avec la décevante expérience de participation au pouvoir du Mouvement Pachakutik, durant le gouvernement Gutiérrez.

---

24. Les propositions du Mouvement Pachakutik sont consultables en ligne, en particulier « Pachakutik : base idéologique et Assemblée Nationale Constituante (document interne) » http://www.pachakutik.org.ec/home/contenidos.php?id=118 &identificaArticulo=193

25. « Indígenas de Ecuador apoyan proyecto de Constitución pero no a Correa », Univision, 5 septembre 2008 ; « La CONAIE frente al referendum y la nueva Constitución », CONAIE, Boletín de prensa, Quito, 4-09-08. Articles disponibles sur : http://argentina.indymedia.org/news/2008/09/624077.php

Cette évolution montre qu'en dépit des avancées notables obtenues sur le plan politique et symbolique, les peuples indiens d'Équateur, dotés depuis 1998 d'une reconnaissance constitutionnelle, demeurent encore largement exclus du pouvoir.

Le succès indéniable des acteurs sociaux et politiques indiens d'Équateur est d'avoir su en finir avec l'image bien ancrée de peuples indiens venus d'un autre âge et voués à l'extinction, ou celle tout aussi répandue de groupes « primitifs » luttant vainement pour la survie d'une culture menacée. Les mouvements indiens sont des acteurs sociaux mobilisés, en tant que « peuples et nationalités », d'une part pour la défense et la réinvention politique d'une identité culturelle différenciée, d'autre part pour acquérir une reconnaissance sociale et politique, dans une société en mutation où les Indiens ne sont plus exclusivement paysans et ruraux. Cependant, force est de constater que leur capacité de représentation politique n'est pas suffisante pour mener à bien les réformes indispensables à un changement en profondeur du rôle social et politique accordé aux Indiens.

Dans le même temps, la force des acteurs indiens est d'avoir rallié à leur cause des acteurs non indiens, autour d'un projet politique plus ample, visant à modifier les fondements de la citoyenneté et de l'exercice de la démocratie. Ce projet n'a sans doute pas été mis en œuvre de façon intégrale, mais il a suscité un débat politique de fond dont l'impact sur la société laisse des traces indélébiles.

Toutefois les deux difficultés majeures que rencontrent les acteurs indiens sont d'une part, une divergence permanente sur la stratégie de conquête du pouvoir, et d'autre part, le fait que progresse un certain dépit face à l'échec des différentes tentatives menées pour réformer le système politique [26]. Le mouvement Pachakutik se heurte à la forte résistance au changement des partis traditionnels et du parti créé par L. Gutiérrez, qui maintiennent leur emprise sur l'électorat indien via une politique clientéliste. Ainsi, les mouvements indiens ont perdu l'espace institutionnel autonome conquis durant la décennie 1990, face à un système de partis peu disposés à accepter une refonte des règles du jeu. Mais ce n'est pas là l'unique raison de leur échec.

Si les mouvements sociaux et indiens (échaudés par l'alliance fatale avec L. Gutiérrez et désormais peu portés à nouer des alliances avec d'autres figures « indépendantes » non indiennes), n'ont pas souhaité se positionner comme de véritables soutiens d'un gouvernement dit de la « nouvelle gauche », ou s'avèrent peu capables d'exercer une pression politique réelle sur celui-ci, c'est aussi en grande partie du fait de leurs difficultés internes. La CONAIE est de plus en plus coupée de ses bases, discréditée et toujours en proie à des dissensions internes. Outre cette coupure avec leurs bases, la

---

26. Julie Massal, « Ecuador: la reforma política en un callejón sin salida », *Análisis Político*, Bogotá, IEPRI-U. Nacional, janvier-avril 2006, n° 56, pp. 132-150.

CONAIE et Pachakutik ont aussi perdu leur capacité à souder des alliances autour d'eux, refusant de partager le pouvoir et de constituer des alliances avec d'autres organisations indiennes, et tendent ainsi à s'auto-marginaliser politiquement. Le discrédit et la faiblesse actuels de l'organisation sociale (CONAIE) qui a perdu sa capacité de mobilisation contestataire, et de son représentant politique (Pachakutik) qui n'a pas su capter durablement le vote indien, sont le fruit de tactiques contradictoires, et d'une stratégie qui privilégie la conquête du pouvoir au lieu de la consolidation des bases sociales. En outre, ladite consolidation a été minée par la cooptation de dirigeants sociaux de la CONAIE et Pachakutik, aussi bien par l'État que par des ONG de développement qui ont accaparé les cadres des organisations et détourné ceux-ci vers la gestion de projets de développement locaux au détriment de projets nationaux [27].

Mais le point de rupture est aussi atteint parce que les demandes des acteurs indiens de participation à la définition des politiques de gestion de l'énergie et des ressources suscitent de profonds conflits y compris avec leurs alliés supposés, peu disposés à mettre en œuvre concrètement les droits collectifs des peuples indiens et à les considérer comme de véritables interlocuteurs politiques.

---

27. Julie Massal, « La participation du Mouvement Pachakutik au pouvoir en 2003 : une expérience originale de citoyenneté multiculturelle en Équateur ? », *op. cit.*

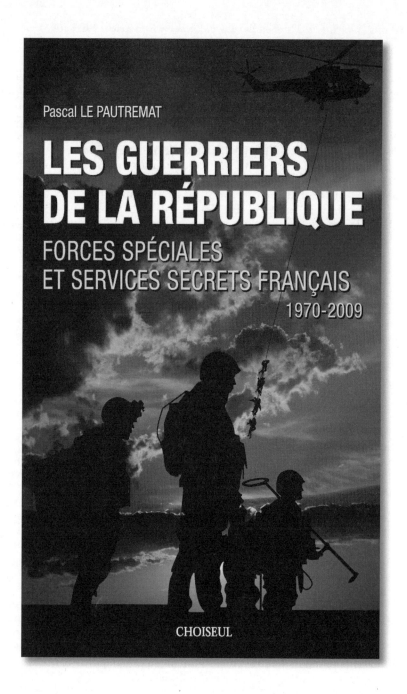

Pascal LE PAUTREMAT

LES GUERRIERS DE LA RÉPUBLIQUE

FORCES SPÉCIALES ET SERVICES SECRETS FRANÇAIS

1970-2009

CHOISEUL

20 euros | 288 pages | 978-2-916722-66-5
à paraître le 22 mai 2009
www.choiseul-editions.com

CHOISEUL ÉDITIONS

La démocratie brésilienne à l'épreuve de la « question raciale »

Jean-François VÉRAN *

Comment comprendre l'ethnicisation des mobilisations sociales et des politiques publiques au regard des enjeux de la construction démocratique au Brésil ?

Il serait tentant de répondre à la question en faisant de cette ethnicisation l'indice d'une entrée du Brésil dans la « seconde modernité », « modernité tardive » ou « post-modernité ». Si, comme le défendent la plupart des sociologies de la modernité, la question de la démocratie se renouvelle par celle de l'émancipation d'un « sujet réflexif » individuel ou collectif, reposant fondamentalement sur la « reconnaissance » de ce dernier, alors effectivement, l'explosion des demandes et politiques formulées en ces termes serait l'indice d'une profonde modernité de la question démocratique brésilienne.

L'émergence d'une « question raciale » et la multiplication des politiques « d'action affirmative » marqueraient en outre le succès du militantisme, notamment afro-brésilien, à politiser une question (les discriminations raciales) en l'extrayant du contexte des relations interpersonnelles où elle était confinée, pour en faire l'analyseur central des inégalités de la société brésilienne. En extrayant le pays de son « mythe de la démocratie raciale » cette « question raciale » provoquerait enfin une inflexion multiculturaliste du modèle démocratique, plus à même de répondre aux enjeux d'intégration des « segments ethnico-raciaux » dont l'État brésilien admet désormais officiellement l'existence après l'avoir « dissimulée » depuis un siècle derrière « l'idéologie totalisante » de la fusion métisse.

Par la reconnaissance des discriminations et la valorisation des identités ethniques tomberait alors l'obstacle majeur à la pleine réalisation de l'égalité

* Professeur adjoint d'anthropologie à l'Institut de philosophie et de sciences sociales de l'Université fédérale de Rio de Janeiro.

démocratique, envisagée aussi bien sous l'angle macrosocial de l'égalisation des opportunités qu'en tant qu'espace de production de sujets réflexifs et capables d'estime de soi.

Cette lecture est d'autant plus séduisante qu'elle suscite un fort sentiment de convergence avec les problématiques qui lient en France et en Europe de manière générale la « question sociale » à la reconnaissance et au traitement d'une « question raciale ».

Nous nous proposons de discuter la thèse du renouvellement de la question démocratique par l'ethnicité. Notre hypothèse est que la redéfinition des rapports entre « race » et démocratie au Brésil procède moins d'une convergence multiculturaliste globale que d'une logique interne d'inversion des propositions élémentaires de son modèle historique, la « démocratie raciale ». En faisant de l'inversion la clé de lecture des processus à l'œuvre, nous souhaitons mettre en évidence les invariants qui les structurent pour mieux en questionner l'impact transformateur.

« Démocratie raciale » : la déconstruction par l'inversion

Le Brésil n'est pas et n'a jamais été une « démocratie raciale ». Depuis la dénonciation du « mythe » par Florestan Fernandes en 1965 jusqu'à la levée du voile d'ignorance sur la réalité des discriminations et la construction d'une « question raciale » à partir des années 1990, les masques seraient tombés [1]. « La pauvreté a une couleur, et cette couleur est noire », telle est le nouveau mot d'ordre diffusé notamment par un organisme d'État, la SEPPIR [2], impulsé initialement par la militance noire à partir des années 1970, et désormais de plus en plus repris par les ONG, ainsi que par certains milieux politiques, universitaires et médiatiques. Le paradis racial serait en réalité un enfer [3].

Rendre visible l'invisible, une modalité particulière d'inversion du stigmate

De la critique militante...

Ainsi que le formalise dès 1980 Abdias do Nascimento, figure militante et intellectuelle emblématique [4], la « démocratie raciale » aurait opéré de façon perverse par une triple invisibilisation, historique, culturelle et physique. En dissimulant la dimension conflictuelle du passé (esclavage docile) et

---

1. Guimarães, A. S. A. *Tirando as máscaras : ensaios sobre racismo no Brasil*, São Paulo, Paz e Terra/SEF, 2000.
2. Secrétariat spécial de promotion des politiques de promotion de l'égalité raciale, créé en 2003.
3. La formule est de Livio Sansone dans « De paraíso a inferno racial », Salvador, *A Tarde*, Caderno 3, 9 novembre, p. 9.
4. Abdias do Nascimento, *O Quilombismo*, Petrópolis, Vozes, 1980.

du présent (le racisme) sous le manteau d'une supposée « cordialité » nationale. En niant les différences culturelles par la proclamation abusive d'un métissage généralisé. En masquant un projet de blanchissement, c'est-à-dire de dissolution physique du Noir dans le Blanc. Cette triple invisibilisation aurait eu comme conséquence pour le Noir l'incapacité de penser sa domination et donc de se mobiliser, de défendre la spécificité de sa culture « sectionnée de son tronc africain », et de garantir l'irréductibilité à laquelle il a droit, y compris dans la préservation de ses phénotypes.

... à l'émergence d'un « monde Noir »

Un « monde Noir » émerge à la fin des années 1970, comme une projection de ces dénonciations de l'avant-garde militante : mise en avant de la capacité de résistance historique par la célébration des *quilombos* (communautés d'esclaves fugitifs), évacuation des éléments syncrétiques dans les pratiques culturelles et religieuses (« purification » de la *capoiera* et du *candomblé*), mise en exergue esthétique d'une fierté raciale. Les sciences sociales ont largement rendu compte de ce processus, souvent sur la base analytique des théories de l'étiquetage. L'afro-brésilianité, jusque dans ses manifestations les plus récentes comme le rap à São Paulo [5], serait une inversion en valeur dont l'enjeu serait l'estime de soi.

Le concept de l'inversion du stigmate est de fait séduisant pour rendre compte de l'émergence de ce « monde Noir » tant ce dernier se laisse facilement appréhender par une lecture en creux. Il en obscurcit pourtant la compréhension en le réduisant à une ethnicité réactive et, de fait, dépendante. Neves rappelle à juste titre le caractère surdéterminé d'une identité noire qui, en se définissant dans une polarité imposée par une société valorisant « l'être blanc [6] », pérenniserait ainsi « les logiques classificatoires des dominants ». Mais les théories du *labelling* sont mobilisables dans une société où l'étiquetage est acquis dans son principe et clair dans son affichage. C'est la non-réalisation de la seconde condition au Brésil qui en limite la portée explicative. Précisément, ce qui se joue dans les années 1980 n'est pas seulement l'inversion en valeur d'une catégorie mais aussi l'affirmation d'une réalité catégorielle. Il s'agit de rendre visible l'invisible, d'arracher une irréductibilité Noire à l'indifférenciation ontologique de la nation métisse. Reprenons le dualisme analytique de Frazer [7] pour poser que dans son principe même, la dynamique « affirmative » de l'afro-brésilianité était d'emblée porteuse d'une injonction « transformative ». Ceci expliquant pourquoi les mouvements Noirs parviendront à politiser une « question

---

5. Marco Aurélio Paz Tella, « Reação ao estigma : O rap em São Paulo », *Enfoques*, vol.5, n° 1, décembre 2006.
6. Paulo Sérgio da C. Neves, « Luta anti-racista : entre reconhecimento e redistribuição », *Rev. bras. Ci. Soc*, vol. 20, n° 59, São Paulo, octobre 2005.
7. N. Fraser, "From Redistribution to Recognition ? Dilemma of Justice in a Postsocialist Age", *New Left Review* 212, juillet-août 1995, pp. 68-93.

raciale » en l'inscrivant au cœur d'une réflexion sur le modèle de la démocratie brésilienne.

Enfin, le surgissement du « monde noir » va profondément marquer les termes de cette politisation en faisant de la reconnaissance d'une inscription différentielle dans la citoyenneté, la condition d'une redéfinition de la démocratie. À partir des années 1990, s'installe une tension entre le principe politique d'un peuple unifié par le métissage et le principe sociologique d'une catégorie afro-brésilienne qui s'affirme par la « race ». Comme le dirait Pierre Rosanvallon, le peuple en devient « introuvable [8] ». L'enjeu étant, du point de vue des entrepreneurs de la « question raciale », de le retrouver, c'est-à-dire de le réinventer.

L'inversion multiculturaliste

Au cours des années 1990, se construit donc une « question raciale ». Il ne s'agit pas d'une révélation soudaine mais de l'extension à l'État et au débat public d'une prise de conscience initiée dans les sciences sociales dès les années 1950 et d'une dénonciation déjà formulée par le Front Noir dès les années 1930. De la criminalisation du racisme en 1989 aux grands débats médiatiques ironisant sur le « racisme cordial », des campagnes d'information (« où gardez-vous votre racisme ? ») aux *novelas*, des procès retentissants aux grandes enquêtes statistiques, le Brésil est passé en vingt ans de la dénégation à l'évidence, même si cette évidence est souvent un air du temps que l'on hume avec plus de légèreté que d'implication. La grande enquête Datafolha de 2008 montre que 91 % des brésiliens reconnaissent qu'il existe « des préjugés contre les Noirs », mais seulement 3 % d'entre eux admettent personnellement de tels préjugés. En quelque sorte, les brésiliens seraient passés du « préjugé de ne pas avoir de préjugés » au préjugé d'en avoir.

Toujours est-il qu'au Brésil, la « question raciale » se construit d'emblée sur une déconstruction de la « démocratie raciale » par inversion de ses propositions élémentaires. Après s'être attachée à rendre visible le racisme, l'inversion va fonctionner à la manière d'un syllogisme. Si la démocratie dans son modèle était supposément raciale et qu'il est établi qu'elle ne l'est pas, alors le modèle n'est pas démocratique.

La démocratie raciale, une idéologie

La critique, dont l'origine est cette fois le milieu universitaire, s'insère explicitement dans le modèle analytique des identités culturelles dans la « postmodernité », comme celui de Stuart Hall, qui connaît au Brésil un succès d'édition (onze éditions en 11 ans). Ce que Hall explique et qui parle tant au

---

8. P. Rosanvallon, *Le peuple introuvable*, Paris, Gallimard, Folio histoire, 1998.

Brésil, c'est que dans le contexte de la post-modernité [9], les communautés imaginaires et agrégatives des nations sont mises à mal par l'injonction à prendre acte du principe de différence qui préside à la construction des sujets individuels et collectifs désormais « décentrés ». Mais si Hall rappelle que les identités nationales sont traversées de tensions et n'ont jamais « annulé ou subordonné la différence culturelle », au Brésil l'analyse est moins nuancée. En appui sur les théories de la domination de Bourdieu ou de Foucault – dont le succès auprès des jeunes chercheurs est fort – le modèle national est analysé rétrospectivement comme une entreprise idéologique imposant une conception unifiée de ce qui était en réalité divers et disjoint. L'inversion consiste donc à décrire comme base de la domination ce qui était pensé comme base de la démocratie. Elle consiste aussi à faire de la reconnaissance de la différence la nouvelle matrice d'un projet national.

Le multiculturalisme, un projet

L'inversion n'est en effet pas qu'antinomique, elle se « branche » désormais sur la perspective théorique et politique du multiculturalisme, c'est-à-dire sur une alternative. Nous reprenons à dessein l'idée de « branchement » de J.-L. Amselle, qu'il décrit comme une « dérivation de signifiés particularistes par rapport à un réseau de signifiants planétaires [10] ». L'argument, déjà exposé de manière convaincante par Peter Fry [11] est qu'il est impossible de comprendre la lecture brésilienne de ce que serait le multiculturalisme à partir de la thèse de Bourdieu et Wacquant dénonçant « les ruses de la raison impérialiste [12] ». Il ne s'agit pas de nier l'évidence qu'en faisant de la « reconnaissance de la différence » un mot d'ordre très populaire, le pays s'inscrit dans la mouvance international et que cette mouvance a des prescripteurs de poids, notamment aux États-Unis. Il s'agit de dire que le Brésil se branche sur cette mouvance avec une tension qui lui est propre.

Justement, le « multiculturalisme » tel qu'il émerge au Brésil signifie dialectiquement l'exact opposé de la « démocratie raciale », et c'est cette valeur dialectique plus que ses principes intrinsèques qui lui confère son poids politique. L'idée que le multiculturalisme constitue un pôle d'inversion est du reste parfaitement explicitée par ceux qui en sont les entrepreneurs. En 2008, à l'occasion du Congrès national des Noires et des Noirs est publiée une « Lettre ouverte à la population brésilienne » dans l'objectif de formuler un « projet antagonique à la nation uniethnique, de "peuple blanc" et uniculturel ». « Il faut redéfinir le Brésil comme nation pluriethnique et multiculturelle [13] ».

---

9. S. Hall, "The question of cultural identity" dans S. Hall, D. Held, T. McGrew, *Modernity and its futures*, Politic Press, 1992.

10. J.-L. Amselle, *Branchements*, Paris, Flammarion, 2001, 265 p.

11. P. Fry, "Politics, Nationality, and the meanings of 'Race'", Daedalus, 2000, 129 (2): 83 -118.

12. P. Bourdieu, L. Wacquant, « Sur les ruses de la raison impérialiste », *Actes de la Recherche en Sciences Sociales*, 1998, vol. 121, n° 121-122, pp. 109-118.

13. http://conneb.org.br/?p=17

Ce projet est fonctionnellement équivalent à la « démocratie raciale » en ce sens qu'il est pensé comme une matrice nationale. Il lui est symétrique en ce qu'il pose la démocratie sur la réalité de la segmentation ethnique là où elle était pensée sur l'idéologie d'une fusion métisse.

Désormais reformulée à l'aune du « multiculturalisme », la critique trouve ainsi un sas de passage entre la dénonciation militante et le projet politique. Le passage est d'autant possible que les « passeurs », militants et universitaires, sont désormais au cœur de l'État en position de prescripteurs d'une nouvelle ingénierie « ethnico-raciale [14] ».

L'apprentissage des « relations ethnico-raciales »

Redéfinir le Brésil comme une « nation multiculturelle » implique un basculement narratif en profondeur. C'est dans le domaine de l'éducation qu'il s'initie, par la loi 10.639 de janvier 2003 rendant « obligatoire l'enseignement sur l'Histoire et la Culture Afro-brésilienne ». Ses « Directives nationales pour l'éducation des relations ethnico-raciales » ne peuvent qu'accréditer la thèse défendue par Yvonne Maggie qu'une « nouvelle pédagogie raciale [15] » se met en place. Le texte est explicite quant à l'intention transformatrice de la loi : « l'école transmettait de manière acritique des contenus qui folklorisent la production culturelle de la population noire, valorisant une homogénéité construite à partir du mythe de la démocratie raciale », mythe qui fait « tant de mal aux Noirs et au Blancs ». Mais il s'agit autant de réévaluer en valeur l'afro-brésilianité que de déconstruire en valeur l'idée d'homogénéité : « l'enjeu est la compréhension que la société est formée de personnes qui appartiennent à des groupes ethnico-raciaux distincts qui possèdent culture et histoire propre. » Cette mise en exergue de la distinction s'accompagne logiquement d'une mise à distance de l'universalisme : l'école a ainsi un devoir d'explication « à propos des équivoques quant à une identité humaine universelle [16] ».

L'école doit donc réapprendre à narrer la nation. Entre 2004 et 2005, vingt et un forums permanents d'éducation et de diversité ethnico-raciale impliquant vingt états sont instaurés, renforcés en 2008 par la création d'un groupe de travail interinstitutionnel. Le ministère a lancé en trois ans onze publications pédagogiques sur la loi 10.639. En partenariat avec la PETROBRAS, la SEPPIR a lancé un vaste programme réunissant des DVD, livres, site Internet et CD audio, intitulé « la Couleur de la culture » dans

---

14. Après avoir redouté la « cooptation » dans les années 1990, l'élite militante est désormais très investie dans les institutions fédérales et locales en charge de la politique pour « l'égalité raciale ».

15. Maggie, Yvonne. « Uma nova pedagogia racial ? », *Revista da USP*, São Paulo, vol. 68, n° 22, pp. 112-129, 2006.

16. http://portal.mec.gov.br/secad/index.php?option=content&task=view&id=1 66&Itemid=315

lequel les afro-brésiliens sont présentés comme dépositaires de « valeurs civilisationnelles » qui leur sont propres.

Si l'intention est claire, l'application l'est moins. Les recherches de terrain montrent les réticences des équipes pédagogiques, les malentendus survenant chez ceux pour qui la loi est perçue comme un outil de renforcement de la démocratie raciale, les plaintes systématiques des parents évangéliques voyant dans l'enseignement du panthéon du *candomblé* la pénétration de la macumba dans les écoles [17], etc. En réaction, un cabinet d'avocat spécialisé dans les questions raciales (IARA) attaque en justice depuis 2005 les écoles n'appliquant pas la loi ou ne le faisant pas de manière adéquate. Le prestigieux collège Pedro II de Rio de Janeiro est ainsi accusé de « résumer l'éducation des relations ethnico-raciales à la citation de sujets historiques. Mais le mythe de la démocratie raciale cite aussi la population noire, l'exaltant sous des formats et en des termes résolument nocifs [18] ».

On le voit, il ne s'agit pas – ou plus – de ce « devoir de mémoire » dont il est tant question aujourd'hui en Europe. Il ne s'agit pas non plus de cette « mémoire contre l'histoire » dont parlait Bédarida sous la forme d'un conflit de légitimité [19]. Il s'agit bien, pour les entrepreneurs de la loi 10.639, de déconstruire une idéologie au profit d'un projet politique, en enseignant l'histoire nationale dans le contresens du mythe par lequel cette idéologie s'est distillée. Enfin, il ne s'agit pas seulement de tirer de l'histoire les leçons d'une conscience antiraciste, mais d'y planter les racines d'une nouvelle conscience ethnico-raciale, d'« un orgueil racial », en substitution parfaitement symétrique de la « fierté métisse ».

L'inversion du mythe : un principe de réalité

Si la « démocratie raciale » est dénoncée par les milieux activistes comme une idéologie, se diffuse donc depuis les années 1980 l'idée qu'elle est aussi un « mythe ». Il serait tentant de voire dans cette double déconstruction une cohérence sociologique, qui consisterait, à la manière de Barthes, à mettre en relation mythe et idéologie affirmant que l'un est un outil naturalisant en croyance la doxa de l'autre.

C'est pourtant moins sur sa relation analytique avec l'idéologie que sur son opposition pratique à la réalité que se popularise l'idée que la « démocratie raciale » est un mythe. L'envers de ce mythe serait bien la réalité. Et la réalité serait le principe guidant désormais la reconstruction de la démocratie à partir d'une *realpolitik* ethnico-raciale.

---

17. Robson Rogério Cruz, *Macumba na sala de aula : dilemas e desafios do ensino da « cultura negra » entre educadores evangélicos*, 26e, Réunion brésilienne d'anthropologie, réalisée entre le 1 et le 4 juin, Porto Seguro, Bahia, Brasil.
18. Ludmila Fernandes de Freitas, « Refletindo sobre o ensino da história e cultura afro-brasileira e africana em uma escola estadual do rio de janeiro », *Revista Habitus*, UFRJ, vol. 4, n° 1, 2006.
19. F. Bédarida, « La mémoire contre l'histoire », *Esprit*, n° 193, 1993, pp. 7-13.

Dans l'analyse de ce passage du *mythos* au *logos*, notre hypothèse de l'inversion comme clé analytique de la redéfinition des rapports entre « race » et démocratie au Brésil trouve un troisième contexte d'examen.

De la dénonciation du mythos...

« La démocratie raciale est un mythe ». Dans une intéressante sociohistoire, Antonio Sergio Guimarães montre bien comment dans le contexte de rupture démocratique à partir de 1964, l'idée se diffuse auprès des intellectuels et des militants noirs. En concluant en 1980 que la « négation du mythe » sur le plan pratique exigerait une « stratégie de lutte politique courageuse [20] », Florestan Fernandes n'imaginait sans doute pas que vingt ans plus tard, ce qu'il présentait comme une « révélation » serait devenu un lieu commun. Il est aujourd'hui jusqu'aux défenseurs de l'idée de « démocratie raciale » pour en admettre le statut mythique, même si c'est pour rappeler sa fécondité anthropologique.

Notre hypothèse est que si l'idée de « mythe » est si volontiers admise, c'est parce depuis dix ans, la « démocratie raciale » est systématiquement prise dans la contradiction entre ses principes et ses résultats. En quelque sorte, il s'agit moins d'une démystification que d'un désenchantement.

Cette thèse d'une inversion désenchantée évoque cette « modernité réflexive » dont parle Ulrich Beck, pour qui « la modernité a détruit son contraire, l'a perdu et c'est à elle-même qu'elle s'en prend [21] ». Dans le cas du Brésil, si l'on peut bien parler d'une « réflexivité » critique, celle-ci ne s'exerce pas contre la modernité, qui reste un horizon infiniment désirable, mais contre le projet historique du modernisme. Ce modernisme qui avait justement investi dès les années 1940 le concept de nation du pouvoir de dépasser les frontières raciales, de balayer les atavismes de la société esclavagiste et coloniale [22] et de faire rentrer le Brésil de plain-pied dans la modernité. L'incapacité rétrospective de ce projet à intégrer à l'universel et à protéger de fait les individus du racisme et de ses conséquences peut expliquer comment, par un retour réflexif, la « démocratie raciale » se voit aujourd'hui opposer ce qu'elle était censée prévenir. Un exemple d'auto-déception sociétal « dissolvant la nation » telle que décrite dans le contexte anglais par Emma Hughes [23]. De fait, l'idée d'un pacte rompu est présente dans les grandes enquêtes d'opinion montrant que les Brésiliens confrontent

20. http://www.espacoacademico.com.br/026/26hbrasil.htm

21. Beck, Ulrich, *La société du Risque*, Paris, Flammarion 2001 (1986).

22. RIBEIRO, Yvonne Maggie de Leers Costa, « Mário de Andrade ainda vive ? O ideário modernista em questão », *Revista Brasileira de Ciências Sociais*, Rio de Janeiro, vol. 20, n° 58, pp. 5-25, 2005.

23. Hughes, Emma, "Dissolving the Nation: Self-Deception and Symbolic Inversion in the GM Debate", *Environmental Politics*, vol. 16, n° 2, Routledge, avril 2007, pp. 318-336.

bien la réalité des inégalités raciales aux principes universaux qui étaient censés les combattre.

Ce qui rapproche cette « réflexivité » du cadre de la « modernité » d'Ulrich Beck, c'est qu'elle n'est pas un sentiment diffus mais un constat établi sur une solide base empirique. Des travaux de sociologie quantitative sur le « racisme à la brésilienne » comme celui d'Edward Telles [24] aux travaux pionniers de C. Hasenbalg et N. do Valle Silva sur les relations entre couleur et stratification sociale, des synthèses statistiques comme celle l'IPEA [25] aux grandes enquêtes d'opinion de l'IBPS [26] ou de Datafolha, est produit un effort important de déchirement du « voile d'ignorance ». La réalité des discriminations s'exprime désormais par les chiffres.

Il s'agit là d'une métamorphose importante de la « question raciale ». Elle n'est plus appréhendée à travers le prisme des relations interpersonnelles dans l'intimité des interactions ordinaires, mais sous l'angle macrosociologique de ses conséquences sociales. Toutes les enquêtes qualitatives qui depuis les années 1950 montraient la fluidité des lignes de couleur et la difficulté inhérente de caractériser un « racisme à la brésilienne », sont en quelque sorte reléguées par un précipité statistique. C'est cette métamorphose qui a été le véritable opérateur d'une politisation et d'une popularisation à l'échelle nationale de la « question raciale ».

Enfin, ces données statistiques sont le plus souvent réduites à leurs aspects les plus saillants en dépit des nombreuses nuances et contradictions mises en évidence par leurs auteurs. Ce n'est pas tant leur valeur intrinsèque qui assure leur succès politique, mais le fait qu'elles permettent d'énoncer l'envers du mythe. C'est ce mouvement dialectique qui commande leur sens, l'effet de bascule qu'il imprime en augmente considérablement le poids. Le *logos* tient autant à ce qu'il révèle qu'à son puissant effet de réel. Il devient un levier politique efficace.

... à la politisation du logos

C'est ce levier qui permet de comprendre le succès politique des « quotas raciaux » pour l'accès aux universités. Expérimentés pour la première fois en 2003 dans l'université d'État de Rio de Janeiro (UERJ), les quotas se sont étendus à 20 des 55 universités fédérales et représentent aujourd'hui 13,8 % du total des places disponibles au niveau national. Jusqu'à présent adoptés localement, un statut pour l'égalité raciale [27] propose d'en

---

24. E. Telles, *Racismo à brasileira : uma nova perspectiva sociológica*, Relume Dumara, 2003.
25. Mário Theodoro (org.), *As políticas públicas e a desigualdade racial no Brasil, 120 anos após a abolição*, IPEA, 2008.
26. Relatório pop-128/08 pesquisa de opinião pública – CIDAN/IBPS, Dia consciência negra, Rio de Janeiro, 19 novembre 2008.
27. http://www.cedine.rj.gov.br/legisla/federais/Estatuto_da_Igualdade_Racial_Novo.pdf, consulté le 11 février 2009.

généraliser la pratique par une loi fédérale dans l'enseignement supérieur, les administrations et les médias.

L'argument principal est fourni par les chiffres et analyses « officiels », qui sont évoqués de manière systématique dans les manifestes, les débats médiatiques, les synthèses de groupes de travail : moins de 1 % de professeurs Noirs dans les universités fédérales, seulement 6 % des Noirs de plus de 19 ans fréquentent l'université en 2007 contre 20,6 % des Blancs, 33 % des Noirs vivent en dessous du seuil de pauvreté contre 14 % des Blancs, les revenus moyens des premiers sont deux fois inférieurs à ceux des seconds, etc. [28]

C'est cette évidence statistique, bien que souvent adossée à une question de dette historique, qui est traduite en évidence politique, créant, selon l'expression de Marx, un « état de siège moral » commandant cette « générosité » si souvent invoquée dans les débats. Il s'agit aussi d'un état d'urgence : *Cotas já* (« des quotas, tout de suite ! »), ainsi se dénomme le mouvement social qui, depuis 2002, organise la mobilisation.

Enfin, les politiques publiques doivent répondre à la réalité par un « principe de réalité », l'action doit être pragmatique, c'est-à-dire agir directement sur les chiffres. La réforme de 2008 de la loi de quotas fait de l'équilibre statistique une finalité politique en stipulant que dans chaque état, la présence des Noirs à l'université doit être exactement proportionnelle à leur représentation démographique [29].

Bien que s'inscrivant dans un contexte plus large de modernisation de l'action publique basée comme ailleurs sur les mots-clés de la « gouvernance », le principe de réalité est investi dans le cas des quotas raciaux d'une dimension particulière. La réflexivité dont ils procèdent est polarisée par le mythe contre lequel elle s'exerce. Le mythe manipulait l'imaginaire, les quotas agissent sur le réel. Il s'agit là de leur première force de légitimation.

Le Brésil en Noirs et Blancs

La rencontre entre les statistiques et le militantisme se joue aussi sur la question des catégories ethnico-raciales.

Depuis le premier recensement de 1872 jusqu'au dernier de 2006, ces catégories ont évolué en permanence. Portant sur la race jusqu'en 1890, elles ne considéreront plus que la couleur de 1940 à 1991, pour ensuite porter sur la « race ou la couleur ». Les catégories « intermédiaires » ont fluctué entre les *pardos*, les *caboclos* ou les *mestiços*. Enfin, de 1890 à 1940 ainsi qu'en 1970, toute variable de race ou de couleur a été supprimée [30].

---

28. Source : indicateurs sociaux, IBGE, 2008.
29. PL73, 20 novembre 2008.
30. M. Paixão e L.M. Carvano, « Censo e demografia » dans O. Pinho et L. Sansone (orgs), *Raça, novas perspectivas antropológicas*, ABA, 2008, pp. 25-61.

Les sciences sociales, pour leur part, ont hésité entre rendre compte de l'extrême diversité des dénominations raciales – L'enquête PNAD de l'IBGE recense ainsi 135 dénominations en 1976 puis 143 en 1998 – et mettre en évidence la pertinence statistique d'une opposition entre Blancs et non-Blancs ou « Noirs » dans l'analyse des inégalités socio-économiques. Cette dernière approche se généralise depuis les années 2000 au point que la plupart des enquêtes n'utilisent désormais plus que la catégorie de *negros* en indiquant qu'il s'agit de la réunion des *pretos* et des *pardos*.

Malgré les protestations de ceux qui dénoncent le « génocide statistique des *pardos* [31] », le gain politique de ce regroupement des catégories est élevé au double titre qu'il augmente considérablement le poids démographique des « Noirs » – « la population brésilienne est noire à 53 % » – et supprime la visibilité du métissage toujours susceptible de la dissoudre. Il est d'ailleurs question de supprimer la catégorie des *pardos* dans le recensement de 2010. À ce titre, le principe de réalité statistique converge avec l'objectif politique de la segmentation ethnico-raciale. Il rentre pourtant en tension avec l'idée de « diversité » à laquelle est adossée l'idée de multiculturalisme.

Parce qu'au Brésil, la démocratie est née « raciale », la révélation des inégalités raciales était porteuse d'une crise anthropologique profonde qu'il n'était sans doute possible d'ouvrir que dans une polarité radicale. Son modèle était une identité collective, le voila idéologie élitaire. Il était réalité, le voilà mythe. Il était émancipateur, le voilà oppresseur. L'alternative émerge de la même polarité. À la fusion métisse s'oppose alors la fission ethnico-raciale.

Transposant la problématique de l'ouvrage collectif sur « l'inversion du genre [32] », parler d'inversion, c'est moins décrire une situation que poser la question de savoir dans quelle mesure l'inversion de la « démocratie raciale » permet le dépassement des hiérarchies et des inégalités dont cette dernière est tenue pour responsable.

Du mythos au mythos

« Il n'y a pas de miracle grec », lequel aurait consisté dans le passage du *mythos* irrationnel et naïf au *logos* fait de rationalité et maturité. L'histoire de la philosophie insiste aujourd'hui sur la réalité du passage d'un *logos* au *logos*, d'un certain type de rationalité à un autre type de rationalité [33]. Notre hypothèse est que si la déconstruction de la « démocratie raciale » procède bien d'une inversion de ce qui est perçu comme un mythe, la tentative de reconstruction à l'aune du paradigme ethnico-racial procède pour sa part

---

31. L'expression est de José Murilho dos Santos.
32. Yvonne Guichard-Claudic, Danièle Kergoat et Alain Vilbrod (dir.), *L'inversion du genre*, PUR, 2008, p. 404.
33. Lambros Couloubaritsis, *Aux origines de la philosophie européenne*, de Boeck, 2003, p. 768.

du passage d'un *mythos* au *mythos*. L'inversion du mythe serait un autre mythe, basculant dans l'axe symétrique du premier tout en en gardant ce que Lévi-Strauss appellerait les invariants structurels. Nous tâcherons de rendre compte de cette invariance dans une perspective sociopolitique.

Inversion réductive et essentialisme stratégique

Une première manière de poser cette hypothèse est de dire que la mythification de la démocratie raciale est une « inversion réductive » dans le sens phénoménologique de Gurvitch, c'est-à-dire une condition nécessaire à la saisie de l'expérience immédiate. Le « principe de réalité » commandant l'action « tout de suite » impliquerait une lecture contractée et partielle de ce qu'a été « la démocratie raciale » pour que les politiques ethnico-raciales puissent avoir un sens immédiat. En d'autres termes, l'inversion du mythe procéderait d'une inversion réductive de la réalité sociohistorique.

Une manière plus politique de faire le même constat est de recourir au concept de « l'essentialisme stratégique » de Gayatri Spivak qui, se demandant si les « subalternes peuvent parler », conclut que la seule possibilité de s'affranchir de la pensée élitaire est de construire une représentation essentialiste de son groupe et de subvertir l'histoire officielle, pour peu que ce soit dans un but d'efficacité politique [34]. On pourrait se demander dans quelle mesure le « réalisme racial » brésilien procède d'un « essentialisme stratégique », tout en observant que depuis les années 1990, cet essentialisme ne serait plus « subalterne » mais d'État puisqu'il oriente les politiques publiques, et qu'il resterait adossé à une conception le plus souvent essentialiste de la race elle-même.

Quoi qu'il en soit, notre argument est que d'un point de vue sociologique, le « réalisme racial » aujourd'hui procède d'une lecture réductrice et essentialisée de ce qu'était hier la « démocratie raciale ».

Il faut rappeler que lorsqu'elle émerge politiquement dans les années 1940, la singularité d'un modèle racial brésilien n'est pas une idée récente. Déjà au XVIIIᵉ siècle, le jésuite Antonil affirmait qu'au Brésil, les Blancs étaient au purgatoire, les Noirs en enfer, et les Métis au paradis. Au XIXᵉ siècle, l'enfer en quelque sorte a disparu aux yeux des voyageurs étrangers qui évoquent en *leitmotiv* ce qui ne leur apparaît désormais plus que comme un « paradis racial ». La progression du racisme scientifique va dans les années 1930 provoquer une rupture analytique, le métissage est alors perçu comme une dégénérescence. Le salut restant possible par le blanchissement, qui deviendra un projet politique, concrétisé par l'appel massif à l'immigration européenne. Mais de G. Freyre, tenu comme « le père de la démocratie raciale » pour avoir théorisé ce que serait le modèle brésilien, à l'enthousiasme d'un Stefan Sweig fuyant le nazisme, l'idée d'harmonie raciale par le métissage s'impose

---

34. G. C. Spivak, "Can the Subaltern Speak?" dans C. Nelson/L. Grossberg (Ed.), *Marxism and the Interpretation of Culture*, Chicago, 1988.

à nouveau avec force. Il faudra attendre l'enquête sociologique commandée par l'Unesco dans les années 1950 pour que l'enthousiasme soit tempéré par le constat de l'ambiguïté du modèle.

La « démocratie raciale » repose donc sur un imaginaire ancré depuis près de trois siècles. Elle ne fabrique pas idéologiquement l'idée d'harmonie raciale mais ne fait que la reprendre et y souscrire. Son originalité – et sa faiblesse originelle – a été d'en faire, de manière acritique, le principe constitutif du pacte démocratique.

Comme le montre A.S. Guimarães, elle devient en effet après la Seconde Guerre mondiale un compromis politique pour intégrer les Noirs dans la société de classes du Brésil, qui fonctionne aussi bien comme « communauté imaginaire » soudant la nation, que sur des registres pratiques de participation économique et sociale. À telle enseigne que jusqu'aux figures intellectuelles du mouvement Noir adhèrent au projet, le journal *Quilombo* dirigé par Abdias do Nascimento comporte une colonne régulière intitulée « démocratie raciale ». Comme le conclut Guimarães, « loin d'être une variante de la suprématie blanche, la démocratie raciale était un construit utopique né de la collaboration tendue entre radicaux noirs et progressistes blancs [35] ».

Ces rapides éléments montrent que si aujourd'hui, à l'aune de sa confrontation au Brésil contemporain, la « démocratie raciale » apparaît comme un mythe, elle a été pendant plus de vingt ans un pacte politique reposant sur un imaginaire pluriséculaire.

Ceci de toute évidence n'empêche pas d'en montrer – et dans le cas du militantisme, d'en dénoncer – rétrospectivement la teneur idéologique et l'écart au réel. Notre argument est ici que sa mythification obscurcit singulièrement sa compréhension en tant que processus sociohistorique. Elle en devient comme tout mythe, atemporel. Or ce qui est oublié aujourd'hui – et qui participe de l'inversion réductive –, c'est que le pacte sera rompu, non par la démocratie, mais par la dictature. À l'heure où sont dressés les bilans, sont attribuées à un projet d'essence démocratique les responsabilités d'un régime autoritaire de plus de trente ans. Comme nous l'avons vu, c'est la démocratie aujourd'hui qui s'en trouve fragilisée dans sa crédibilité à intégrer à l'universel. L'attrait d'une recomposition des politiques publiques à l'horizon de la gouvernance des enjeux immédiats n'en est que plus fort.

En réduisant la « démocratie raciale » à une entreprise de domination idéologique, en est encore oubliée la dimension de projet commun. Il est significatif que l'effort militant se soit récemment porté sur la reconnaissance des victimes de l'histoire, sur les « réparations », sur l'idée de viol ontologique comme matrice du métissage, etc. Cet « essentialisme stratégique » s'il en est, éloigne la possibilité d'un nouveau pacte autour des enjeux de discriminations

---

35. A. S. Guimarães et M. Macedo, « Diário Trabalhista e Democracia Racial Negra dos Anos 1940 » DADOS, *Revista de Ciências Sociais*, Rio de Janeiro, vol. 51, n° 1, 2008, pp. 143-182.

et d'inégalités. Les attraits de la segmentation « ethnico-raciale » n'en sont que plus forts.

L'inversion de la « démocratie raciale » procède alors à son tour d'un écart au réel qui ampute le « réalisme racial » contemporains d'éléments importants de ce *logos* qu'il revendique. Le « mythe de la démocratie raciale » est en quelque sorte un méta-mythe.

L'attraction structurale de la symétrie

La perspective structurale de Lévi-Strauss offre à l'examen de notre hypothèse des outils importants.

Groupe de Klein

D'un point de vue méthodologique, l'utilisation qu'il fait du groupe de Klein [36], construction logique empruntée aux mathématiques et qui s'énonce ainsi : [x], [-x], [1/x], [-1/x], permet d'éviter la lecture mécanique d'une inversion binaire. L'idée est qu'un groupe de transformation mythique s'établi sur la base de quatre éléments narratifs qui s'opposent régulièrement les uns aux autres par inversion mutuelle.

Soit le groupe d'énoncés suivant :

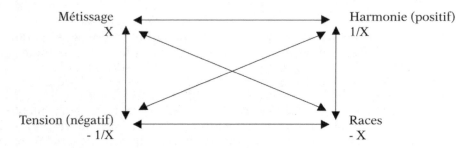

Énoncés :
x = le peuple est métis
-x = le peuple est constitué de races distinctes (n'est pas métis)
1/x = polarité positive de x
-1/x = polarité négative de x

L'intérêt ici est d'extraire la dynamique d'inversion de la « démocratie raciale » de la discursivité immédiate de ses protagonistes, pour objectiver historiquement qu'elle s'organise autour de polarités et selon un mouvement plus complexe que le binarisme apparent de chaque temps du mouvement. De fait, l'association entre métissage et harmonie ([x] ; [1/x]) qui se développe

---

36. Lévi-Strauss, *Histoire de lynx*, Plon, Paris, 1991, p. 134.

à partir des années 1940 produit l'énoncé positif opposé de celui – négatif – ([x] ; [-1/x]) qui prévalait dans les années 1930 associant métissage à dégénérescence dans un contexte dominé par le socio-biologisme et la « prophylaxie raciale ». Le nouvel énoncé des années 1990 qui fait de la segmentation « ethnico-raciale » la clé de l'harmonie sociale ([-x] ; [1/x]) produit un énoncé positif qui n'est donc pas un retour au discours des années 1930 mais une inversion de sa polarité. Il suscite en réaction l'énoncé négatif inverse de ceux qui s'opposent aux politiques raciales ([-x] ; [-1/x]), voyant dans ces dernières des « divisions dangereuses ». À mesure que cette dernière se développe, deux types d'énoncés s'affrontent. Le retour à une conception dégénérative du métissage sur la base de l'idée d'une irréductibilité ou supériorité raciale ([x] ; [-1/x]) restaurée par un nouveau scientisme. Il est notable que depuis une dizaine d'années, l'idée de « race » gagne une nouvelle densité par la politisation de la génétique. Inversement, une « repolarisation » positive du métissage comme facteur d'harmonie sociale comme tente de le faire le mouvement Nation Métisse dont il sera question par la suite.

Mais si l'idée de groupe de transformation est heuristique, nous ne voyons pas dans le mouvement d'inversion une logique proprement structurale, mais une dynamique politique, ainsi que l'attestent sa non-linéarité et la coprésence des temps qui l'animent. C'est bien ce que montre Jacques d'Adesky, à savoir que le balancement entre un « racisme mixophile » et un « antiracisme différentialiste » est une dialectique inscrite dans les enjeux du temps présent [37]. Les années 2000 sont de ce point de vue particulièrement « mouvementées », car le succès de la politisation d'une « question raciale » n'a pu se faire que dans l'accentuation des polarités, qui se trouvent en quelque sorte toutes convoquées.

Reste que, comme l'est dans sa formulation mathématique le groupe de Klein, ce jeu d'oppositions politiques est *involutif* en ce sens que depuis deux siècles, il se déroule à l'intérieur d'un même groupe de transformation et que chaque énoncé s'organise comme l'inversion réductive de celui auquel il s'oppose.

Nous voyons à cela une raison forte, qui fonde notre recours méthodologique à l'approche structurale de Lévi-Strauss. C'est que cette dialectique politique repose sur un invariant qui en structure toutes les modalités.

Invariant structurant

En faisant de la rencontre des « trois races » l'événement originel, tous les énoncés « posent » l'idée de race en leur principe.

Les énoncés explicitement racialistes sont sans équivoque. Notre argument est que ceux construits à partir du métissage le sont tout autant. D'une

---

37. Jacques d'Adesky, *Racismes et antiracismes au Brésil*, l'Harmattan, Paris, 2001, 222 p.

manière générale, comme le montre J.-L. Amselle, parce qu'en présupposant la séparation ontologique, le métissage rappelle la race [38]. Au Brésil, parce que cette séparation est historiquement posée en événement fondateur (« la fable des trois races ») quelles qu'en soient les variations. Ensuite, parce que le métissage n'est pas nécessairement un antiracisme, toute la problématique brésilienne étant qu'il coexiste avec une polarité raciale dont le blanc est le positif et le noir le négatif. Parce qu'encore, le métissage a été un racisme, lorsqu'il était explicitement posé en matrice du projet de blanchissement. Enfin, parce que dans l'énoncé traditionnel de la « démocratie raciale », le métissage est en réalité la genèse raciale d'un « homme nouveau » le Brésilien, cet « homme moderne sous les tropiques » dont parlait G. Freyre ou cette « race brésilienne » dont n'hésite pas à parler le président Lula.

Bien sûr les signifiants de « race » sont flottants et varient en intensité selon les époques et les énoncés. Il est indéniable que le modernisme a été une tentative d'en neutraliser l'idée. Son discrédit comme réalité biologique en a provoqué un glissement de sens vers des acceptions plus culturelles, comme du reste le métissage. Ses multiples usages populaires en ont dissous la polarité [39]. Enfin, les sciences sociales ont montré que l'idée de race est labile, qu'elle renvoie à la « marque » des phénotypes et non à la pesanteur des origines, que la position sociale est un facteur de variation dans la classification raciale et que les sociabilités sont faiblement distribuées racialement.

Reste qu'à notre sens, du récit des origines à ses expressions les plus sibyllines, ce que la race structure, c'est bien la relation au politique. D'une certaine manière, elle en est la matrice.

En effet, à la différence de la France où le peuple est une fiction politique, au Brésil, il est le produit de la rencontre des « trois races », il est une réalité organique et anthropologique. Ce n'est pas un hasard si ce sont les sciences sociales qui l'ont énoncée, depuis Gilberto Freyre jusqu'aux révélations de Roberto da Matta sur « ce qui fait le Brésil, Brésil [40] ». Même mythifié – et sans doute d'autant plus – ce récit sur l'origine du peuple en structure la définition politique : parce que la rencontre des races est ontologique, la « démocratie » est « raciale ». Aujourd'hui encore, l'envers du « mythe » propose une reconstruction démocratique qui reprend très exactement le récit originel des « trois races » pour l'énoncer dans une perspective multiculturelle.

Finalement, l'invariance structurante de la race explique comment le paradigme ethnico-racial s'installe au cœur même des politiques publiques et dans les livres scolaires sans provoquer le sentiment d'une révolution

---

38. J.-L. Amselle, *Logiques métisses*, Payot, 1999.
39. Flamengo, la plus grande équipe de football brésilienne par le nombre de ses supporters est connue comme la « race rouge et noire ».
40. R. da Matta, *O Que Faz o Brasil, Brasil ?*, éd. Rocco, 1984.

anthropologique profonde. Citant Lévi-Strauss disant d'un mythe qu'il s'exténue sans disparaître, Lilia Schwartz estime, nous semble-t-il avec raison, que la reconnaissance des discriminations ne porte finalement pas atteinte au mythe de l'harmonie raciale [41]. Un juge a accordé des terres à des populations indigènes au nom de la tradition de démocratie raciale du Brésil alors que les intéressés en avaient fait la demande au nom d'un multiculturalisme radical. Le militantisme est confronté au problème que la loi sur l'enseignement des relations ethnico-raciales à l'école est perçue dans la plus complète continuité de la fable des trois races. Alors qu'ils viennent de voter un projet de loi sur les quotas instituant de fait un binarisme organisé phénotypiquement, l'élite politique continue de glorifier l'identité métisse du pays. Si la circulation d'un discours à un autre est possible sans prolonger les protagonistes dans l'absurde, c'est bien parce que même dans l'inversion de ses polarités, le mythe est le même, il s'agit toujours de réaliser la démocratie *raciale*.

Les bornes de l'horizon démocratique

Cette matrice d'énonciation de la démocratie en constitue la limite.

« Noir » n'est pas une couleur politique

C'est ce que montre la nouvelle taxinomie distinguant *brancos* et *negros*. Celle-ci reste prise dans un racialisme qui ancre la question des discriminations dans une pragmatique des phénotypes, l'isolant des dimensions sociales et politiques par lesquelles cette dernière est de fait coproduite. La catégorie de *negros* n'est pas une couleur politique au sens de la « political blackness » qui pense la race comme mécanisme de domination au-delà de la couleur de la peau, et qui a pu réunir sous une même bannière les combattants de la révolution haïtienne ou les opposants à l'apartheid en Afrique du Sud. Au Brésil, l'ancrage phénotypique de la catégorie des *negros* provoque au contraire une tension entre Noirs et métis. Si la couleur est la cause des discriminations, alors dans un pays où la palette est si large, les plus foncés ne doivent-ils pas être les plus avantagés par l'action affirmative ? À la question posée par une jeune femme noire lors d'un débat à l'université fédérale de Rio, une métisse lui a répondu que ses ancêtres à elle étaient des esclaves sexuels, ce qui était « pire » que d'être la descendante de « simples esclaves ».

Nation métisse

C'est de cette tension que surgit à Manaus en 2001 le mouvement social Nation Métisse, justement en opposition aux droits ethniques.

---

41. L. K. M. Schwarcz, « Questão racial e etnicidade » dans Sérgio Miceli. (Org.), *O que ler na ciência social brasileira (1970-1995)*, Antropologia, São Paulo, Sumaré, 1999, vol. 1, pp. 267-326.

Sa base est essentiellement composée de femmes issues de l'action sociale et communautaire, qui ont voté dans le Parti des travailleurs de Lula portées par la conviction que « le service public est pour tous » et qui vivent comme une trahison les politiques différentialistes de son gouvernement. Mais l'opposition aux « lois raciales » a aussi une raison très pratique : depuis les années 2000, les représentations aux conférences sur les questions sociales auxquelles ces femmes avaient l'habitude d'assister sont de plus en plus attribuées sur des bases ethnico-raciales. « Il y avait les Noirs, les Indiens, les Juifs, les Tziganes, mais il n'y avait pas de représentation pour les métis, les *caboclos* de la région ».

Or, argumente Nation Métisse, en Amazonie, ce sont les *caboclos* qui prédominent, qui ne sauraient être classés comme Noirs puisqu'ils sont pour l'essentiel issus du mélange de Blancs et d'Indiens. De même, la culture *cabocla* de forte inspiration indigène ne saurait être assimilée à la culture afro-brésilienne. L'affirmation nationale que les *pardos* sont Noirs apparaît alors comme la négation de la réalité phénotypique et culturelle du plus grand nombre.

L'élite intellectuelle du mouvement se positionne sur deux autres aspects. Elle s'oppose à la dévalorisation idéologique du métissage en rappelant qu'au Brésil, il a donné naissance à des expériences et des identités métisses positives, comme c'est le cas des *caboclos* d'Amazonie. En accord avec la tradition de la « démocratie raciale », le métissage est encore perçu comme le processus de production de la nation, un processus créatif aujourd'hui menacé par la cristallisation des frontières ethniques. Il faut « préserver le processus » en laissant chacun libre de son identité.

« Métis dans mes origines, *caboclo* dans ma culture, citoyen face à mes droits », telle pourrait être la devise d'un mouvement complexe dont la tactique politique l'est tout autant. En utilisant la rhétorique de la diversité et de la tolérance qui constitue aujourd'hui un sésame politique absolu, Nation Métisse a fait voter par l'Assemblée d'Amazonie un « jour du *caboclo* », s'assurant un espace minimal de représentation. Le mouvement a fait voter dans la foulée un « jour du métis » malgré la très forte opposition du Mouvement Noir, réintroduisant politiquement la catégorie. L'idée étant de demander pour les métis des droits spécifiques partout où ils sont obtenus pour les Noirs, ceci afin d'en plonger le principe dans l'absurde. Dans un État où 85 % de la population est *parda*, cela reviendrait en effet à universaliser de tels droits, c'est-à-dire à en supprimer le caractère différentialiste. L'enjeu final étant la disparition du critère ethnico-racial dans l'accès aux droits universaux et le retour à une conception métisse du politique et de la nation.

Finalement, Nation Métisse rappelle deux choses. Que contrairement à la thèse de Sergio Costa consacrant « l'agonie du Brésil métis [42] », le métissage en tant qu'expérience et concept n'est pas soluble dans le paradigme ethnico-racial. Bien au contraire, si « le métissage rappelle la race », la race rappelle le métissage aussi sûrement que dans les rues, les T-shirts 100 % Métis s'opposent aux T-shirts 100 % Noir. Le métis émerge alors comme une catégorie politique dénonçant à son tour l'invisibilité et la confiscation particulariste des politiques publiques. De ce point de vue, Nation Métisse reste une involution dans un groupe d'inversion structuré par l'invariant ontologique de la race.

En associant démocratie à métissage, Nation Métisse exprime encore la difficulté du Brésil à penser la relation démocratique en rupture avec la matrice des « trois races » qui continue aujourd'hui d'en borner l'horizon.

Conclusion

Bien sûr, la construction de la démocratie au Brésil peut et doit être envisagée sous d'autres angles que celui de l'ethnicité. En devenant pour la première fois majoritaire en 2008, la « classe C » des consommateurs (entre cinq et dix salaires minimum) annonce un basculement sociologique d'importance immédiatement perçu par le marché. Sur un autre registre, Dominique Vidal a raison de montrer comment l'augmentation du recours au droit dans les catégories professionnelles de la domesticité contribue à construire un imaginaire d'égalité et de commune humanité [43]. Ce progrès du droit peut-être aussi une clé de lecture de l'action affirmative et à n'en pas douter, comme nous l'avons montré dans la conclusion de notre recherche sur les *quilombos* [44], il informe le rapport au politique en ce que le droit acquis dans son principe devient exigible dans ses modalités. Reste que le « droit à avoir des droits » ne signifie pas que ces droits soient égaux.

De ce point de vue, il nous faut observer qu'au Brésil, le principe de différence qui préside aux droits ethnico-raciaux dans une perspective multiculturelle ne constitue pas une révolution démocratique mais au contraire la reproduction d'un mode privilégié d'attribution. Certes, le droit considère cette fois moins l'exception de ses élites que celle de ses « minorités ». Le cercle des particularités et dérogations s'élargit mais se reproduit dans son principe. Paradoxalement, c'est la raison pour laquelle les actions affirmatives bénéficient du soutien ou de l'indifférence de l'opinion publique et de la plupart des élites. Que des défavorisés aient des droits *aussi pour eux*, ce n'est que justice.

42. S. Costa, *Dois atlânticos : teoria social, anti-racismo, cosmopolitismo*, Editora UFMG, Belo-Horizonte, 2006.

43. D. Vidal, *Les bonnes de Rio. Emploi domestique et société démocratique au Brésil*, Villeneuve d'Ascq, Presses Universitaires du Septentrion, Le Regard Sociologique, 2007, 312 p.

44. J.-F. Véran, *L'esclavage en héritage*, Paris, Karthala, 2003, 386 p.

Ce que la perspective multiculturaliste confirme encore au Brésil, c'est un rapport au politique, même s'il est indéniable qu'il en élargit le cercle des protagonistes. Une sociologie des politiques ethnico-raciales montrerait ce que nous avons déjà observé à propos de la législation sur les *quilombos*, à savoir qu'elles ont été définies dans la confrontation et l'accord de microgroupes d'intérêts, adoptées dans une relation politique extrêmement personnalisée, le plus souvent à des dates commémoratives et avec un contenu réglementaire très imprécis. Toute la difficulté étant que l'application de la loi doit être ensuite négociée au cas par cas. La pragmatique de la gouvernance négociée, à l'heur de laquelle s'apprécie tant la modernité démocratique, se coule au Brésil avec particulièrement de facilité dans un moule historique où la résolution des conflits est renvoyée aux relations interpersonnelles.

Finalement, on mesure toutes les équivoques qui entourent au Brésil la question de la « reconnaissance », lorsqu'elle se pose dans la perspective multiculturelle d'un droit à la différence. Si dans les démocraties occidentales, la reconnaissance de la différence est ce « besoin humain vital » dont parlait Taylor, on ne peut oublier que ce besoin implique deux conditions pour s'exprimer. Que la pleine humanité de chacun soit elle-même reconnue, et que la stricte égalité de tous – ne serait-ce que face aux besoins – soit admise dans son principe. Ces deux conditions posent problème au Brésil.

Paradoxalement, pourtant, la différence y a toujours été « reconnue », jusque dans l'obsession de la dissoudre. C'est finalement ce qu'exprime l'ancrage racial de sa matrice politique : la croyance en la différence des natures, des besoins, des valeurs et des destins. Cette croyance en la « différence » constitue même la principale justification ou résignation face aux inégalités, à telle enseigne que l'on continue de croire que c'est en devenant semblables que l'on devient égaux. Ce qui s'exprime ainsi, en retournement de la formule de Taylor, c'est le besoin vital d'une humanité commune. C'est bien pour cela que le métissage a pu littéralement incarner le projet démocratique et que la démocratie a pu être « raciale ». Inversement, on pourrait se demander si la consécration des différences ethnico-raciales ne marque pas l'épuisement d'un imaginaire égalitaire qui ne s'est jamais vraiment élevé… lesté qu'il est par la force structurante de la « race ».

RÉSUMÉS

*LE POUVOIR DES SYMBOLES/LES SYMBOLES DANS LE POUVOIR. THÉOSOPHIE ET « MAYANISME »
DANS LE YUCATÁN (1922-1923)*

Cet essai analyse l'empreinte du spiritualisme philosophique dans les projets politiques de Felipe Carrillo Puerto, notamment dans sa tentative de « revitalisation » de l'esprit ancestral des Mayas. Il a ainsi contribué à l'élaboration d'un scénario politico-archéologique dans le contexte duquel des phénomènes politiques inédits ont pris sens. On pourrait à cet égard citer les changements introduits en matière de propriété foncière ; l'organisation des travailleurs en ligues de résistance ; le déploiement d'une rhétorique politique radicale et la mise en œuvre d'un programme d'hygiène et de santé sexuelle visant à améliorer la qualité de la population. Ces différents éléments témoignaient d'un univers idéologique cohérent – et politiquement fonctionnel –, grâce à la récupération de la pensée et de la symbologie théosophique.

Beatriz URÍAS HORCASITAS

QUELQUES CARACTÈRES ORIGINAUX D'UNE CULTURE MÉTISSE EN AMÉRIQUE LATINO-INDIENNE

À Puno, petite ville péruvienne située sur les bords du lac Titicaca, la hiérarchie sociale semble renvoyer à une stratification immuable : Indiens, Cholos et Métis y sont distingués en fonction de critères qui renvoient moins au phénotype et à la langue qu'à une « échelle de prestige » liée à des qualités sociales hautement subjectives. Mais en 1954, ces groupes partagent cependant des attitudes tout à fait comparables en matière de famille, de religion et d'appréhension des relations sociales, ce qui témoigne de l'existence d'une « culture métisse » qui transcende les clivages de groupe. De plus, les critères de distinction entre les groupes sont tellement imprécis que la pratique de la hiérarchie sociale est dynamique, le statut n'étant jamais acquis par avance. Mais le fait que les groupes partagent les mêmes valeurs ne garantit pas l'intégration sociale ; bien au contraire, l'auteur prédit un avivement des tensions sociales autour de l'enjeu agraire.

François BOURRICAUD

INVOCATIONS DE L'ETHNICITÉ ET IMAGINAIRE SOCIOPOLITIQUE AU MEXIQUE

L'ethnicité (comprise comme une variante de la nationalité) est une invocation stratégique d'une singularité culturelle, linguistique ou historique, produite au travers de divers moyens discursifs, symboliques et rituels. C'est la raison pour laquelle elle ne devrait pas être interprétée à la lumière de la culture ou de l'histoire spécifique (toujours sélective) desquelles elle prétend provenir, mais dans le contexte des luttes où elle est produite et dans le cadre de ce que je propose d'appeler « le champ de l'imaginaire sociopolitique ». À partir de l'analyse du cas mexicain, nous proposons que l'ethnicité ne soit pas seulement une question d'identités profondes, mais aussi d'interactions et de confrontations entre des groupes qui remettent en question les visions multiples et changeantes de l'ethnicité dans l'histoire de l'imaginaire sociopolitique.

José Luis ESCALONA VICTORIA

Variations régionales : la politisation des identités ethniques au Mexique

À partir de trois études de cas régionales au Mexique (Sierra Juárez du Oaxaca, Région lacustre du Michoacán, Huasteca Potosina centrale), cet article interroge le processus de politisation des identités ethniques. Partant du présupposé qu'il n'y a pas d'équivalence automatique entre identités sociales et identités politiques, on relève la diversité des enjeux au nom desquels l'ethnicité est invoquée, ainsi que les différentes chronologies de la politisation du clivage ethnique. Plutôt que d'accréditer la thèse de l'ethnicisation liée à un retrait de l'État, ce texte propose une explication des processus de politisation insistant sur l'intensification de la compétition entre groupes sociaux ainsi que sur la démocratisation des espaces publics locaux, dans lesquels progresse l'idée d'équité.

Julie DEVINEAU

Mutations et déclin du Mouvement Pachakutik en Équateur (1996-2008)

L'article retrace la conquête par les acteurs indiens équatoriens du pouvoir politique et des espaces institutionnels de représentation, de façon à réaliser un bilan critique des résultats obtenus mais aussi des défis à affronter. Après une ascension dans les années 1980 et une mobilisation sociale et politique parvenue à son apogée en 1997-2000, les mouvements indiens connaissent un net affaiblissement, le point de rupture se situant en 2003, avec la décevante expérience de participation au pouvoir du Mouvement Pachakutik, durant le gouvernement Gutiérrez. Les raisons d'une telle évolution sont analysées, en insistant à la fois sur les facteurs conjoncturels et structurels qui ont fait des acteurs indiens un opposant incontournable, avant qu'ils atteignent le pouvoir et perdent à la fois leur capacité de mobilisation et leur légitimité politique en tant qu'alternative face aux partis qui résistent fermement au changement politique. Les aléas du destin des mouvements indiens sont liés aux principales caractéristiques du système politique équatorien. En conclusion, l'article met en relief les forces et faiblesses actuelles des mouvements indiens face au gouvernement Correa et aux défis politiques et économiques à venir.

Julie MASSAL

La démocratie brésilienne à l'épreuve de la « question raciale »

L'article se propose de discuter la thèse du renouvellement de la question démocratique brésilienne par l'ethnicisation des mobilisations sociales et des politiques publiques. L'hypothèse est que la redéfinition des rapports entre « race » et démocratie au Brésil procède moins d'une convergence multiculturaliste globale que d'une logique interne d'inversion des propositions élémentaires de son modèle historique, la « démocratie raciale ». En faisant de l'inversion la clé de lecture des processus à l'œuvre, il s'agit de mettre en évidence les invariants qui les structurent pour mieux en questionner l'impact transformateur.

Jean-François VÉRAN

RESÚMENES

EL PODER DE LOS SÍMBOLOS/LOS SÍMBOLOS EN EL PODER. TEOSOFÍA Y "MAYANISMO" EN YUCATÁN (1922-1923)

Este ensayo examina la huella del espiritualismo teosófico en los planteamientos de Felipe Carrillo Puerto relativos al proyecto de "revitalizar" el espíritu ancestral de los mayas. Estos planteamientos generaron el montaje de un escenario político-arqueológico en el contexto del cual cobraron sentido fenómenos políticos sin precedentes. Por ejemplo, los cambios introducidos en el régimen de la propiedad de la tierra; la organización de los trabajadores en las ligas de resistencia; el despliegue de una retórica política radical; y la puesta en marcha un conjunto de programas de higiene y de salud sexual para mejorar la calidad de la población. Se propone que estos elementos fueron articulados dentro de un universo ideológico coherente – y funcional políticamente –, gracias a la recuperación del pensamiento y de la simbología teosófica.

Beatriz URÍAS HORCASITAS

ALGUNOS RASGOS ORIGINALES DE UNA CULTURA MESTIZA EN AMÉRICA LATINO-INDIA

En Puno, comunidad peruana ubicada en las orillas del lago Titicaca, la jerarquía social parece obedecer a una estratificación social inmutable: Indios, Cholos y Mistis se distinguen en base a criterios que no son tanto relacionados con el fenótipo o el uso de la lengua como con una "escala de prestigio" basada en calidades sociales muy subjetivas. En 1954, se destaca sin embargo actitudes similares con respecto a la familia, la religión, y la concepción de las relaciones sociales que trascienden las fronteras de los grupos y que atestiguan de la fuerza de una "cultura mestiza". Además, los criterios de diferenciación entre los grupos son tan imprecisos que la práctica de la jerarquía social es dinámica, puesto que nada garantiza el estatuto individual. Pero el hecho de que los grupos compartan los mismos valores no garantiza la integración social. Al contrario, el autor vislumbra la intensificación de las tensiones sociales en torno a la tierra.

François BOURRICAUD

INVOCACIONES DE LO ÉTNICO E IMAGINARIO SOCIOPOLÍTICO EN MÉXICO

La etnicidad (variante de la nacionalidad) es una invocación estratégica a la singularidad cultural, lingüística o histórica, producida a través de diversos medios discursivos, simbólicos y rituales. Por ello no debe ser entendida a partir de la cultura o la historia específica (siempre selectiva) de donde dice provenir, sino en el contexto de las luchas en las que se produce y dentro de los marcos de lo que propongo llamar el campo del imaginario sociopolítico. A partir del análisis del caso mexicano se propone que la etnicidad no es un asunto sólo de identidades profundas, sino de interacciones y confrontaciones entre grupos en las que se ponen en juego diversas y cambiantes visiones de lo étnico en la historia del imaginario sociopolítico en México.

José Luis ESCALONA VICTORIA

VARIACIONES REGIONALES : LA POLITIZACIÓN DE LAS IDENTIDADES ÉTNICAS EN MÉXICO

Basándose en tres estudios de caso regionales en México (Sierra Juárez en Oaxaca, Región lacustre en Michoacán, Huasteca central en San Luis Potosí), el artículo cuestiona el proceso de politización de las identidades étnicas en México. Al plantear que no hay equivalencia automática entre las identidades sociales y las identidades políticas, se constata la diversidad de los motivos y de los contextos en nombre de los cuales la etnicidad está invocada. Se defiende una interpretación del proceso que insiste más sobre la intensificación de la competencia entre grupos sociales y la democratización de los espacios públicos locales (idea de equidad), que sobre el supuesto « retiro del estado ».

Julie DEVINEAU

MUTACIONES Y DECLIVE DEL MOVIMIENTO PACHAKUTIK EN ECUADOR *(1996-2008)*

El artículo narra la conquista, por parte de los actores indígenas ecuatorianos, del poder político y de los espacios institucionales de representación, en aras a realizar un balance crítico de los resultados conseguidos pero también de los retos por enfrentar. Después de una ascensión en la década de los 80's y una movilización social y política que llegó a su apogeo en 1997-2000, los movimientos indígenas experimentaron un claro debilitamiento, siendo el año 2003 el punto de quiebre, debido a su decepcionante participación en el poder del Movimiento Pachakutik, durante el gobierno de L.Gutiérrez. Los motivos de semejante evolución se analizan, insistiendo sobre los factores coyunturales y estructurales que hicieron de los indígenas un oponente ineludible, antes de que llegaran al poder y perdieran a la vez su capacidad de movilización y su legitimidad política en tanto alternativa a los partidos tradicionales que se resisten firmemente al cambio político. La inestabilidad en el destino de los movimientos indígenas se relaciona con las características principales del sistema político ecuatoriano. El artículo concluye destacando las fortalezas y debilidades actuales de los movimientos indígenas frente al gobierno de R. Correa y a los desafíos políticos y económicos por venir.

Julie MASSAL

LA DEMOCRACIA BRASILEÑA A LA PRUEBA DE LA «CUESTIÓN RACIAL»

El artículo se propone discutir la teoría de la renovación de la cuestión democrática brasileña por la etnicización de los movimientos sociales y de las políticas públicas. El supuesto es que la redefinición de la relación entre "raza" y democracia en Brasil tiene menos de una convergencia multiculturalista global como de una lógica interna de inversión de las propuestas básicas de su modelo histórico, la «democracia racial». Haciendo de la inversión la clave de lectura de los procesos en obra, se trata de destacar los invariantes que los estructuran para mejor cuestionar su impacto transformador.

Jean-François VÉRAN

ABSTRACTS

THE POWER OF SYMBOLS/SYMBOLS IN POWER. THEOSOPHY AND "MAYANISM" IN YUCATÁN (1922-1923)

This article deals with the role of theosophic spiritualism in Felipe Carrillo Puerto's project to revitalize the Mayas' ancestral spirit. The project produced a political – arqueological setting that gave meaning to unprecendented political phenomena, such as the changes in the land tenure system, workers' organization in "resistance unions", the use of a radical political rhetoric, and the implementation of a series of hygienic and sexual health programs designed to improve the quality of the race. These elements were articulated with a coherent – and politically functional – ideological universe, thanks to theosophical thinking and theology.

Beatriz URÍAS HORCASITAS

SOME ORIGINAL FEATURES OF A MESTIZO CULTURE IN LATINO-INDIAN AMERICA

In Puno, a small peruvian town near Lake Titicaca, social hierarchy appears stuck in the past : Indian, *Cholos* and *Mistis* are distinguished according to criteria that aren't related to phenotypes or language but to a "ladder of prestige" based on highly subjective social qualities. However, in 1954, these groups shared similar values regarding family, religion and social relationships, that characterize a "mestizo culture" in Peru. Furthermore, the criteria that distinguish the groups are so vague that in reality, the social hierarchy is mobile and nothing guarantees social status. But, the fact that these groups share the same values doesn't guarantee social integration. On the contrary, the author predicts growing social tensions over land.

François BOURRICAUD

ETHNIC INVOCATIONS AND SOCIOPOLITICAL IMAGERY IN MEXICO

Ethnicity (as nationality) consists in strategic invocation of cultural, linguistic, or historical singularity, built out of discursive, symbolic, and ritual means. As a consequence, it does not have to be understood from the specific history or culture it is supposed to be derived (always selective). On the contrary, we have to analyze it within the social confrontations it has been produced, and the framework that I call the field of sociopolitical imagery. So, analyzing it in Mexican case, I state that ethnicity does not have to do only with profound identities, but interactions and fights between diverse social groups in which are involved different and changing views of ethnic matters -those existing for long time in the sociopolitical imagery in Mexico.

José Luis ESCALONA VICTORIA

REGIONAL VARIATIONS: THE POLITICIZATION OF ETHNIC IDENTITIES IN MEXICO

This article studies the process of politicization of ethnic identities in three Mexican regions, the Sierra Juárez in Oaxaca, the Huasteca Potosina, and the Lake Region in Michoacán. Three main observations are considered. Firstly, there is no direct equivalence between social and political identities. As well, ethnicity is invoked in the name of many different issues and finally, the politicization of ethnic divisions follows a different chronology depending on the region. Rather than the hypothesis of the "retreat of the state", we argue that the growing competition between social groups, as well as the democratization of local public spaces that favors the progress of the idea of equity, fosters mobilization based on ethnicity.

Julie DEVINEAU

THE EVOLUTIONS AND DECLINE OF THE PACHAKUTIK MOVEMENT IN ECUADOR (1996-2008)

This article deals with the conquest by Ecuadorian Indian actors of political power and spaces of institutional representation, in order to realize a critical balance of the main results obtained and also of the challenges to be faced. After a political ascension since the 80´s decade and a social and political protest that peaked in the years 1997-2000, the Indian movements experienced a clear weakening, being the 2003 the break point, because of a disappointing participation at the power of Pachakutik Movement, during the Gutierrez administration. We analyse the reasons for such developments, with emphasis on the contingent and structural factors that made Indian actors a key opponent, before they access to the power and lost both their mobilization potential and political legitimacy as an alternative to the political parties who firmly resist the political change. Instability in the fate of the indigenous movements is related to the main features of the political system of Ecuador. The article concludes by highlighting the current strengths and weaknesses of the indigenous movements facing the Correa administration and the political and economic challenges that lie ahead.

Julie MASSAL

BRAZILIAN DEMOCRACY TO THE TEST OF «RACIAL ISSUE»

The article proposes to discuss the theory of renewal of the Brazilian democratic question by the ethnicization of the social movements and the public policies. The assumption is that the redefinition of the relationship between race and democracy in Brazil is less about a global multiculturalist convergence, than it is about an internal inversion logic of the basic proposals of its historical model, the "racial democracy". By focusing on inversion as the understanding key to the processes at work, the purpose is to highlight their structuring invariants to better question their transforming impact.

Jean-François VÉRAN